Pérolas de Sabedoria

Vida e Ensinamentos de Sri Ramana Maharshi

Pérolas de Sabedoria

Vida e Ensinamentos de Sri Ramana Maharshi

Editora Teosófica
Brasília-DF

Título do original em inglês:
Gems from Bhagavan, 1965
Sri Ramanasraman
Tiruvannamalai 606 603
Tâmil Nadu, Índia
E-mail: ashram@ramana-maharshi.org

Direitos Reservados à
EDITORA TEOSÓFICA
SIG Quadra 6, Nº 1235
70.610-460 - Brasília-DF - Brasil
Tel.: (61) 3322-7843
E-mail: editorateosofica@editorateosofica.com.br
Site: www.editorateosofica.com.br
Instagram: *@editorateosofica*
Whatsapp: 61 98613-4906

M214   Maharshi, Sri Ramana. 1879-1950

Pérolas de sabedoria - 4ª. ed.
Tradução, Niraj
Editora Teosófica, Brasília, 2023.

ISBN: 978-85-7922-001-2

1. Filosofia Oriental
II. Título

CDU 141.332

Tradução: Niraj
Cotradutores: Fernando Guedes de Mello OM e A.L.F.
Revisão: Maria Coeli Perdigão B. Coelho / Zeneida Cereja da Silva
Capa e Diagramação: Reginaldo Mesquita
Impressão: Gráfika Papel e Cores - Fone: (61) 3344-3101 (3Reimp2024)

Sumário

Nota do Tradutor 07
PARTE 1 – Pérolas de Bhagavan 13
Prefácio 15
1. Felicidade 17
2. O Ser e o Não Ser: A Realidade e o Mundo 21
3. Mente 31
4. "Quem sou eu?" 35
5. Entrega 43
6. Os Três Estados: Vigília, Sonho e Sono 47
7. A Graça e o Guru 51
8. Autorrealização 55
9. O Coração 67
10. A Renúncia 71
11. O Destino e o Livre-Arbítrio 75
12. O Sábio 77
13. Diversos 85
PARTE 2 – A Vida de Sri Ramana Maharshi 95
PARTE 3 – "Quem sou eu?" 123
Glossário 143

Nota do Tradutor

O objetivo do presente trabalho é apresentar uma tradução fiel e acessível de três obras originais de Ramana Maharshi: *Gems of Bhagavan* (*Pérolas de Sabedoria*), *Bhagavan Ramana* (*A Vida de Sri Ramana Maharshi*), e *Who am I?* (*Quem sou eu?*), tendo como paradigma o ponto de vista do leitor que pouco ou nada conhece a seu respeito. Tal orientação não nos impediu, entretanto, de buscar as fontes originais das quais foram tiradas as inúmeras citações que compõem a primeira parte deste livro – a partir das versões a que se teve acesso –, de submetê-las a um processo de comparação crítica no intuito de determinar a melhor forma de expressar os ensinamentos de Ramana Maharshi.

Cada palavra foi cuidadosamente escolhida, e não raro dicionários foram consultados mesmo para tradução de palavras e expressões já conhecidas. Os trechos entre parênteses referem-se aos termos em sânscrito ou tâmil utilizados, e em sua maior parte aparecem do mesmo modo que no original. Os demais termos estrangeiros foram tratados de maneira diversa sendo que, com o fito de manter o texto o mais claro e limpo possível – e também para evitar repetições desnecessárias – tais termos foram colocados entre parênteses, com a tradução em português aparecendo no corpo principal. Outros termos de maior importância, tais como *Brahman*, *māyā* e *jñāna*, frequentemente foram deixados na parte principal do texto.

Por outro lado, o que se encontra entre colchetes são comentários acrescidos pelos tradutores com a intenção de esclarecer o significado da passagem ou do ensinamento, quando uma tradução literal não bastava, ou quando a comparação com outras fontes indicou ser desejável tal medida.

O texto original não contém um glossário. Entretanto, atentando ao fato de que muitos termos que já são conhecidos pelos leitores de língua inglesa interessados no assunto e não o são pelo público geral brasileiro, teve-se como oportuna a inclusão de um glossário ao final do livro, onde as palavras de origem estrangeira estão brevemente explicadas. O glossário foi desenvolvido com base nos glossários presentes em outros livros de Ramana Maharshi (*tais como: The Collected Works of Ramana Maharshi*[1]; *Be As You Are*[2]; *Ensinamentos Espirituais*[3]; *Ramana Maharshi e o Caminho do Autoconhecimento*[4]; *Talks with Sri Ramana Maharshi*[5]) e também por meio de livre pesquisa dos tradutores em outras fontes relacionadas.

O nome completo pelo qual o mestre era conhecido é Bhagavan Sri Ramana Maharshi. No texto ele é em geral chamado Bhagavan, mas a fim de evitar a deselegância e o desgaste da

---

[1] Editado por Arthur Osborne. Edição de 1997 por Red Wheel/Weiser LLC (Boston, EUA).
[2] Editado por David Godman e publicado em 1985 por Penguin Arkana (Londres, Inglaterra).
[3] Publicado no Brasil pela Editora Pensamento.
[4] Editado por Arthur Osborne e publicado no Brasil pela Editora Pensamento.
[5] Editado por Mungala Venkataramiah. Publicado por Sri Ramanasramam, 13ª Reimpressão, 2005 (Tiruvannamalai, Índia).

repetição, também por vezes o chamamos Sri Ramana, Ramana Maharshi ou apenas Maharshi[6].

Outras palavras também frequentemente utilizadas no texto são *Sat* e *Ānanda*. *Sat* foi às vezes traduzida como "Existência", outras vezes como "Ser", tendo também o significado de "Verdade" e "Realidade". *Ānanda* foi em geral traduzida como "Bem-Aventurança", tendo-se às vezes usado as palavras "Felicidade" e "Beatitude" a fim de evitar a repetição e de transmitir toda a amplitude do significado original. Todos esses termos devem ser entendidos como sinônimos.

Um dos pontos mais difíceis da tradução foi a palavra *Ātma* ou *Ātman*. Em outros livros já publicados no Brasil (sobre *Yoga*, filosofia oriental, e sobre Ramana Maharshi também), a palavra *Ātma* foi traduzida como "Eu Superior", "Si", "Si-Mesmo", "Espírito" e "Verdadeiro Eu". Em inglês o termo utilizado é sempre *Self*, para *Ātma*, e *I* ou *self* (com minúscula) para o ego (em sânscrito, *ahamkāra*). Em português é mais difícil manter essa distinção. Optamos por traduzir *ahamkāra* (ou *self*) por "ego" ou "eu" (letra minúscula); e *Ātma* (*Self*) por "Eu Real", "Eu" ou "Ser". Isso porque Sri Ramana era categórico ao afirmar que não existem dois "eus", um superior e outro inferior, mas que existe apenas um Eu, e que o ego – que os seres não iluminados têm como seu "eu" – é irreal, sendo apenas um re-

---

[6] Maharshi significa "Grande Sábio", sendo um título dado àqueles Mestres que inauguram um novo caminho espiritual para a humanidade. Pronuncia-se "maharixi", com o h aspirado.

flexo do verdadeiro Eu[7].

Devem ser ditas algumas palavras, ainda, sobre a tradução de outros termos recorrentes. Um deles é a palavra *realize*, que é uma tradução geralmente utilizada em inglês do termo sânscrito *sakshatkara*, que denota o estado ou "fenômeno" no qual o *yogi* se torna idêntico ao *Ātman* dentro de si[8]. As três traduções possíveis para esse termo em português seriam: compreender, conhecer, estar ciente do Eu; alcançar o Eu; realizar o Eu (no sentido básico de "tornar real"). Traduzir como "alcançar o Eu" não é adequado tendo em vista que, de acordo com os ensinamentos do Bhagavan, o Eu Real não é alcançado, mas já está presente, e também não é algo exterior. O que nos resta, portanto, são os outros dois termos e, como nenhum deles expressa perfeitamente o significado original (já que o Ser é nem compreendido nem "tornado real" – ele já é sempre real e sempre conhecido), optamos, ao longo da tradução, por utilizá-los ambos, intercaladamente.

O texto original utiliza também em vários pontos o termo

---

[7] "É ridículo dizer 'realizei o Eu (*Ātman*)' ou 'não realizei o Eu (*Ātman*)'. Por acaso existem dois eus, para um ser objeto da realização do outro? A verdade da experiência de todos é que existe apenas um Eu." (Verso 33 do Ulladu Narpadu, tradução de Arthur Osborne).
"Geralmente se diz: "Conhece-te a ti mesmo". Mas mesmo isso não está correto, pois se nós falamos em conhecer o Eu, devem existir dois Eus, um que conhece, o outro que é conhecido, e o processo do conhecimento. [Mas] o estado que nós chamamos de Realização é simplesmente ser quem você é, [e] não conhecer algo ou tornar-se algo. Se alguém alcançou a Realização, ele é apenas aquilo que é e que sempre foi." – Thus Spake Ramana, 67.
[8] FEUERSTEIN, Georg. Enciclopédia de Yoga do Pensamento. São Paulo: Editora Pensamento, 2005. p 199.

householder, que é uma tradução do sânscrito *grishastha*, o qual denota uma das quatro "fases da vida" (*asramas*) tradicionais do hindu, prescritas pelos Vedas. Trata-se da fase da vida em que a pessoa já completou sua formação pessoal e encontra-se "vivendo no mundo", trabalhando e envolvido com a vida familiar. Na falta de um correspondente em português (assim como em inglês), optamos por utilizar a tradução normalmente adotada de "chefe de família". Contudo, gostaríamos de salientar ao leitor que, em um sentido mais amplo, esse termo quer dizer todo aquele que vive "no mundo"; ou seja, que não o renunciou fisicamente para se tornar um monge ou asceta.

Qualquer imperfeição ou erro encontrado no presente livro deve ser atribuído à tradução, e não aos editores dos livros originais, A. Devaraja Mudaliar e T.M.P. Mahadevan, muito menos ao Sábio de Arunachala.

Por fim, gostaria de agradecer sinceramente a: Sri Ramanasramam por nos ter cedido os direitos autorais, abrindo mão dos *royalties*, e por nos ter confiado a tarefa da tradução; Fernando Guedes de Mello OM, por ter sido o precursor desta tarefa e pela valiosa contribuição na tradução da primeira parte do livro; A.L.F, que optou por manter-se anônima, pela contribuição na tradução da segunda parte do livro e na revisão final; Pavani, por todo o apoio e assessoramento.

Que esta obra sirva como uma luz para orientar os buscadores da Verdade.

Niraj (omniraj@gmail.com; www.advaita.com.br)

Parte I

Pérolas
de
Bhagavan

Prefácio

Há algum tempo, tenho considerado seriamente que um livro contendo um conjunto dos mais importantes ensinamentos de Bhagavan é uma aspiração de todos. Assim, por meio deste livro eu busquei, a meu modo, e de acordo com a luz e o melhor das minhas habilidades, prestar um pequeno serviço neste sentido. Espero que este serviço seja de grande valia aos leitores em geral e aos devotos de Bhagavan em especial, e possa ele ser aceito por Bhagavan como um esforço desta Sua criança em fazer algo de bom e útil.

A. Devaraja Mudaliar

Capítulo 1

Felicidade

Todos os seres desejam sempre a felicidade, uma felicidade sem qualquer traço de tristeza. Ao mesmo tempo, todos amam a si mesmos acima de tudo. A causa para o amor é só a felicidade. Assim sendo, essa felicidade deve residir dentro de nós mesmos. E mais, essa felicidade é experimentada diariamente por todos ao dormir, quando não há mente. Para atingir essa felicidade natural, temos que conhecer a nós mesmos. Para tal, a autoinvestigação "Quem sou eu?" é a melhor maneira.

A natureza do Eu Real é felicidade. Elas não são diferentes. A única felicidade que existe é a do Ser. Eis a verdade. Não existe felicidade nos objetos do mundo. É por causa da ignorância que imaginamos que ela deriva deles.

Se, como os homens normalmente imaginam, a felicidade depende de causas externas, é razoável concluir que sua felicidade deve aumentar com o acúmulo de posses e diminuir com a sua redução. Portanto, sua felicidade deveria ser nula se ele fosse desprovido de posses. No entanto, qual é a experiência do homem? Será que ela confirma esse ponto de vista? No sono profundo, o homem fica desprovido de todas as suas posses, inclusive o próprio corpo. Ao invés de ser infeliz, ele é completamente feliz. Todas as pessoas gostam de dormir profundamente. A conclusão, portanto, é que a felicidade é inerente ao homem, não se originando de causas externas. Você deve realizar o Eu a fim de acessar a fonte da pura felicidade.

Há uma história no Panchadasi ilustrando como nossas dores e prazeres são devidos às nossas ideias, e não aos fatos:

Dois jovens de um povoado fizeram juntos uma peregrinação ao Norte da Índia. Um deles morreu por lá. O outro, tendo conseguido um emprego, decidiu voltar para o povoado só algum tempo depois. Nesse ínterim, ele encontrou um peregrino no caminho e enviou um recado por meio dele com notícias suas e do amigo morto. O peregrino transmitiu a notícia e, ao fazê-lo, trocou inadvertidamente os nomes do vivo e do morto. Em consequência, a família do homem morto alegrou-se que ele estava bem e a família do homem vivo ficou pesarosa acreditando que seu jovem membro estava morto.

Eu costumava sentar no piso e deitar no chão. Nenhuma coberta para atrapalhar. Isso é liberdade. O sofá é um estorvo, uma prisão para mim. Não me é permitido sentar onde e como eu quiser. Não é mesmo uma prisão?[9] Devemos ser livres para

---

[9] No início Sri Ramana sempre sentava e dormia diretamente no chão. Com o passar do tempo, os seus devotos, preocupados com sua saúde e conforto, trouxeram um sofá para ele sentar e deitar, mas o Maharishi se recusou. Depois de muito insistirem, contudo, conseguiram com que Bhagavan sentasse no sofá. [N.T.]

fazer o que nos agrada e não sermos servidos por outros. "Nenhum querer" é a maior felicidade. Isso só pode ser realizado através da experiência. Nem mesmo um imperador é páreo para um homem sem desejos.

Capítulo 2

O Ser e o Não Ser: A Realidade e o Mundo

A existência ou Consciência é a única Realidade. Nós chamamos a Consciência com o despertar, de despertar; a consciência com o sono, de sono; a Consciência com o sonho, de sonho. A Consciência é a tela na qual todas as imagens vêm e vão. A tela é real; as imagens são meras sombras sobre ela.

O Eu Real (*Ātman*) e as aparências que surgem nele – tal como a corda e a cobra que se "sobrepõe" a ela – pode ser ilustrado da seguinte maneira: Existe uma tela. Nela aparece primeiramente a figura de um rei. Ele senta no trono. Então, diante dele e na mesma tela, começa um jogo com várias pessoas e objetos; o rei na tela observa o jogo na mesma tela. O observador e a coisa observada não passam de sombras na tela, a qual é a realidade única que abriga todas as imagens. No mundo também, o observador e o observado constituem juntos a mente, que é sustentada pelo ou baseada no Eu Real.

A escola *ajata* do Advaita diz: "Nada existe a não ser a realidade única. Não há nascimento e nem morte, nem projeção e nem atração[10], nem buscador, nem aspirante à Libertação, nem ser Liberto, nem prisão e nem Libertação. Só a Unidade existe para sempre." Aos que acham difícil apreender essa verdade e perguntam: "Como ignorar o mundo sólido que nos rodeia?", a experiência do sonho é apontada e lhes é dito: "Tudo o que você vê depende do observador. Sem o observador, não há a observação". Isso se chama *drishti-srishti vāda*, o argumento segundo o qual nós criamos a partir da nossa mente e, em seguida, vemos o que a própria mente criou.

Para aqueles que não podem compreender nem isso e argumentam: "A experiência do sonho é tão curta, ao passo que o mundo existe sempre. A experiência do sonho limita-se a mim, já o mundo é sentido e visto não só por mim, mas por muitos, e não podemos dizer que este mundo não existe", o argumento inverso chamado *srishti-drishti vāda* lhes é endereçado: "Deus criou primeiro tais e tais coisas a partir de tal e tal elemento e então algo mais, e assim por diante". Somente isso vai satisfazer-lhes. De outra forma, suas mentes não ficarão satisfeitas e eles se perguntarão: "Como pode toda a geografia, todos os ma-

---

[10] Neste trecho Bhagavan cita um famoso ensinamento, extraído do *māndūkya upanishad karika*, do Rishi *Gaudapada*, que nega a doutrina de que *Brahman*, o Absoluto, projeta um universo a partir do seu Ser e depois, no momento da dissolução cósmica, reabsorve-o em Si, doutrina esta que é tomada nos Vedas como uma das explicações da criação. Deve ser entendido, aqui, que a doutrina *ajata* não nega apenas esta teoria da criação, mas afirma que jamais houve uma criação ou manifestação, sendo que a aparição do universo é sem causa e incriada. [N.T.]

pas, todas as ciências, estrelas, planetas e leis naturais, serem totalmente falsos?". Para essas pessoas é melhor dizer: "Sim, Deus criou tudo isso, e é por isso que vocês o percebem". Todas essas teorias existem apenas para se adequar à capacidade dos ouvintes. O absoluto só pode ser um.

Há primeiro a luz branca do Ser, digamos assim, que transcende tanto a luz como a escuridão. Nela, nenhum objeto pode ser visto. Não há nem observador e nem objeto observado. Então há também escuridão total (*avidyā* ou ignorância) na qual nenhum objeto é visto. Mas do Eu Real provém uma luz refletida, a luz da mente pura, e é essa luz que dá lugar à existência de todo o filme do mundo, o qual não é visto nem na luz total [Eu Real] nem na escuridão total, mas apenas na luz reduzida ou refletida [mente].

Do ponto de vista de *Jñāna* (Sabedoria) ou Realidade, o sofrimento do qual você fala certamente é um sonho, assim como o mundo inteiro, do qual esse sofrimento é uma parte ínfima, também o é. Em seu sonho, enquanto dorme, você sente fome e vê os outros sofrendo de fome. Você se alimenta e, movido por compaixão, alimenta os outros que você vê sofrerem de fome. Enquanto o sonho durava, todo aquele sofrimento era tão real quanto é o sofrimento que você vê no mundo agora. Foi só depois de acordar que você descobriu que aquele sofrimento era irreal. Você pode ter comido bastante antes de dormir, mas mesmo assim você sonhou que estava trabalhando o dia inteiro sob o sol ardente e que estava cansado e com sono. Então você acorda e descobre que seu estômago estava cheio e que você não saiu da cama. Mas isso não significa que enquanto você está no sonho você pode agir como se o sofrimento que sentisse não fosse real. A fome no sonho deve ser satisfeita pela comida do sonho. As outras pessoas famintas que você encontra no sonho devem ser alimentadas com a comida do sonho. Você nunca pode misturar os dois estados, o sonhar e o estar desperto. Da mesma forma, até que você alcance o estado de *Jñāna* (Realização), e assim desperte de *māyā*, você deve aliviar o sofrimento alheio sempre que entrar em contato com ele. Mas mesmo assim você deve agir sem ego (*ahamkāra*), isto é, sem o sentimento de que é você quem está agindo e ajudando. Em vez disso, você deve sentir: "Eu sou o instrumento de Deus". Você também não deve ser vaidoso e pensar: "Eu estou ajudando um homem que está numa situação pior do que eu. Ele precisa de ajuda e eu posso ajudá-lo. Eu sou superior e ele é inferior". Você deve ajudá-lo como um meio de venerar a existência de Deus nele. Todo serviço feito assim é um serviço prestado ao Eu Real, e não a ninguém em particular. Você não está ajudando ninguém além de si mesmo.

O livro Kaivalya Navaneeta responde a seis perguntas sobre *māyā* (ilusão), as quais são muito instrutivas:
1. O que é *māyā*? A resposta é: Ela é indescritível.
2. Para quem ela surge? A resposta é: Para a mente ou para o ego que se sente como uma entidade separada e que

pensa "Eu faço isso" ou "Isso é meu".
3. De onde procede e como se originou? A resposta: Ninguém pode saber.
4. Como apareceu? A resposta é: Decorre da falta de autoinvestigação (*avichāra*), do não se perguntar, "Quem sou eu?".
5. Se ambos existem, o Eu Real e *māyā*, isso não invalida a teoria do Advaita? A resposta é: Não necessariamente, uma vez que *māyā* é dependente do Eu Real assim como uma figura é [dependente] da tela. A figura não é real, no sentido de que a tela o é.
6. Se o Eu Real e *māyā* são um, pode-se dizer que o Eu Real é da mesma natureza de *māyā* e, portanto, ilusório também? A resposta é: Não, o Eu Real é capaz de produzir ilusão sem ser ilusório. Para efeito de entretenimento, um ilusionista pode criar a ilusão de pessoas, animais e coisas, e nós os vemos tão claramente quanto vemos o próprio ilusionista; mas, após o espetáculo, só ele permanece e todas as ilusões que ele criou desaparecem. Ele não faz parte da visão, mas é sólido e real.

Os livros usam a seguinte ilustração para ajudar a explicar a criação: O Eu Real é como a tela para pintura. Primeiro uma pasta é espalhada para cobrir os pequenos orifícios na tela. Essa pasta pode ser comparada ao Espírito (*antaryāmin*) em toda a criação. Então, o artista traça um esboço na tela. Isso pode ser comparado ao corpo sutil (*sūkshma sārīra*) de todas as criaturas; por exemplo, a luz e o som (*bindu* e *nāda*), dos quais todas as coisas surgem. Dentro desse esboço, o artista pinta as figuras com cores, etc., e isso se compara com as formas grosseiras que constituem o mundo.

O Vedanta afirma que o cosmos surge junto com quem o vê. Não há uma criação passo a passo. É similar à criação no sonho, no qual o experimentador e os objetos da experiência surgem simultaneamente. Aos que não estão satisfeitos com essa explicação, as teorias de criação gradual são oferecidas nos livros.

Não é nada correto dizer que os seguidores do Advaita da escola de Shankara negam a existência do mundo ou que o consideram irreal. Pelo contrário, para eles o mundo é mais real do que para os outros. Seu mundo sempre existirá, ao passo que para as outras escolas de pensamento o mundo teve uma origem, tem um crescimento e terá um declínio – de forma que, como tal, não pode ser real. Os seguidores do Advaita dizem apenas que o mundo enquanto "mundo" não é real, mas que o mundo enquanto *Brahman* (o Absoluto) é real. Tudo é *Brahman*; nada existe a não ser *Brahman*, e o mundo enquanto *Brahman* é real.

O Ser é a única Realidade existente, e é pela luz do Ser que tudo o mais se torna visível. Nós esquecemos o Eu Real e nos concentramos naquilo que aparece. A luz do salão brilha, quer as pessoas estejam ou não presentes; ou, como no teatro, o palco está lá, quer as pessoas estejam ou não representando. É a luz em si que nos permite ver o salão, as pessoas e a representação, mas estamos tão absorvidos nos objetos ou aparências reveladas pela luz que não prestamos atenção à luz em si. Nos estados de vigília ou de sonho, nos quais as coisas aparecem, e no estado de sono profundo, em que nada vemos, a luz da Consciência ou do Eu Real está sempre presente, assim como as lâmpadas do salão que estão sempre brilhando. O que resta fazer é manter o foco no observador e não nos fenômenos observados; não nos objetos, mas na Luz que os revela.

Perguntas sobre a realidade do mundo e a respeito do sofrimento ou do mal no mundo cessarão quando você se perguntar: "Quem sou eu?" e descobrir o observador. Sem um observador, o mundo e seus alegados males não existem.

O mundo é formado pelas cinco categorias de objetos dos sentidos, e nada mais. Estas cinco espécies de objetos são percebidas pelos cinco sentidos. Como tudo é percebido pela mente através dos cinco sentidos, o mundo nada mais é do que a mente. Existe um mundo separado da mente?

Embora o mundo e a consciência surjam e desapareçam ao mesmo tempo, o mundo se manifesta ou é percebido somente através da consciência. Essa Fonte, na qual ambos surgem e desaparecem – sendo que ela mesma não aparece nem desaparece –, é a perfeita Realidade.

Se a mente – a fonte de todo conhecimento e atividade – se aquieta, a visão do mundo cessa. Assim como o conhecimento da corda real não surge até que a noção fantasiosa de uma cobra desapareça, a visão (experiência) da Realidade não pode ser alcançada, a menos que a visão sobreposta do universo seja abandonada.

A única coisa que realmente existe é o Ser. O mundo, *jīva* (a alma individual ou ego) e Deus (*Īshwara*) são criações mentais, como a aparência de prata na madrepérola. Todas essas coisas aparecem e desaparecem simultaneamente. O Ser em si é o mundo, o ego e Deus.

Para o Iluminado (*Jñānī*), é irrelevante se o mundo aparece ou não. Aparecendo ou não, sua atenção está sempre focada no Eu Real. Tome, por exemplo, as letras e o papel em que estão escritas. Você está inteiramente absorto nas letras e não presta qualquer atenção ao papel. O Iluminado só vê o papel como sendo real substrato, apareçam ou não as letras.

Você faz todo tipo de doces com vários ingredientes e em vários formatos, e todos eles têm sabor doce porque têm açúcar, e doçura é a natureza do açúcar. Do mesmo modo, todas as experiências e mesmo a ausência delas contêm a iluminação, que é a natureza do Eu Real. Sem o Eu Real as experiências não podem ser vivenciadas, assim como sem o açúcar nenhuma das receitas que você faz ficará doce.

O Ser Imanente é chamado Deus (*Īshwara*). A imanência só ocorre com *māyā*. *Īshwara* é o Conhecimento do Ser juntamente com *māyā*. Do conceito sutil emerge a Consciência universal (*Hiranyagarbha*); da Consciência universal emerge a manifestação física e concreta. O Eu-Consciência é apenas puro Ser.

No que diz respeito à existência da dor no mundo, o Sábio fala a partir de sua experiência: se nos recolhemos no Eu Real, toda dor cessará. A dor é sentida apenas enquanto o objeto é diferente do sujeito; quando o Eu Real é reconhecido como um todo indivisível, quem resta para sentir o quê?

O texto do *Upanishad* "Eu sou *Brahman*" significa apenas que o Absoluto existe como "Eu".

Capítulo 3

Mente

A mente é uma força maravilhosa inerente ao Eu Real. Aquilo que surge nesse corpo como "eu" é a mente. Quando a mente sutil emerge através do cérebro e dos sentidos, os nomes e as formas grosseiras são conhecidos. Quando permanece no Coração, nomes e formas desaparecem... Se a mente permanecer no Coração, o "eu" ou ego, que é a fonte de todos os pensamentos, desaparece, e apenas o Ser, o Real, o Eu Eterno, brilha. Onde não existe o menor traço de ego, aí está o Eu Real.

A mente e a respiração têm a mesma fonte. Por isso a respiração é controlada quando a mente é controlada; e a mente é controlada quando a respiração é controlada. A respiração é a forma grosseira da mente.

O *prānāyāma* (controle da respiração) é apenas uma ajuda para submeter a mente, mas não servirá para matá-la.

Como o *prānāyāma*, a adoração de uma divindade, o *japa* (repetição de *mantra*) e a regulação da dieta, são ajudas para o controle da mente.

O *prāṇāyāma* pode ser interno ou externo. O interno é como se segue: "eu não sou o corpo" (*naham*) é a exalação (*rechaka*); "Quem sou eu?" (*koham*) é a inalação (*pūraka*); "Eu sou Ele" (*soham*) é a retenção da respiração (*kumbhaka*). Fazendo isso, a respiração fica automaticamente controlada. O *prāṇāyāma* externo é para quem tem dificuldades com o controle da mente. Não há caminho tão seguro quanto o do controle da mente. O *prāṇāyāma* não precisa ser exatamente como o prescrito em *hatha yoga*. Se a pessoa já estiver engajada na repetição (*japa*), meditação (*dhyāna*), devoção (*bhakti*), etc., basta apenas um pequeno controle da respiração para controlar a mente. A mente é o cavaleiro e a respiração, o cavalo. O *prāṇāyāma* é um controle do cavalo. Através desse controle, o cavaleiro também é controlado. Um pouco de *prāṇāyāma* basta. Observar a respiração é um modo de *prāṇāyāma*. A mente então é retirada de outras atividades, engajando-se na observação da respiração. Isso controla a respiração e a mente, por seu turno, fica também controlada. Se sentir dificuldade na prática da inalação e exalação (*rechaka* e *pūraka*), pode-se praticar apenas a retenção da respiração por um breve intervalo, durante a repetição, a meditação, etc. Isso também produzirá bons resultados.

Não há outro modo de controlar a mente a não ser aquele previsto em livros como o *Bhagavad-Gītā*, qual seja: trazendo a mente para o interior toda vez que ela se distrair ou for para fora, assim fixando-a novamente no Eu Real. Claro, isso não é fácil, e só vem com a prática (*sādhana*).

Deus ilumina a mente e brilha dentro dela. Não podemos conhecer Deus através da mente. Só nos resta voltá-la para dentro e fundi-la em Deus.

O corpo, composto de matéria inanimada, não pode dizer "eu" (isto é, não pode ser a causa do pensamento-"eu"). Por outro lado, a Consciência Eterna não é passível de nascimento. Entre os dois surge algo nas dimensões do corpo. É o nó entre a matéria e a Consciência (*chit-jada-granthi*), conhecido por vários nomes como: prisão, alma, corpo sutil, ego, *samsāra*, mente, etc.

Bhagavan apontou para a sua toalha e disse: Chamamos isso de pano branco, mas o pano e a sua brancura não podem ser separados; o mesmo se dá com a Iluminação e a mente que se unem para formar o ego. A seguinte ilustração é dada nos livros: a luz no teatro é o Absoluto, ou Iluminação. Ela ilumina a si, o palco e os atores. Vemos o palco e os atores através de sua luz, mas a luz continua mesmo depois do espetáculo terminar.

Outra ilustração é uma barra de ferro comparada com a mente. A barra é aquecida ao fogo e se torna incandescente. Como o fogo, ela reluz e pode queimar coisas; mas, diferentemente do fogo, tem uma forma definida. Se nós a martelamos, é a barra que recebe o golpe, não o fogo. A barra é a alma individual (*jīvātman*); o fogo é o Ser (*Paramātman*). A mente nada pode fazer por si mesma. Ela só surge com a Luz e não pode fazer nada, bem ou mal, a não ser com a Luz. Mas, apesar de a

Luz estar ali, possibilitando à mente agir bem ou mal, o prazer e a dor daí resultantes não são sentidos pela Luz; assim como quando você martela o ferro incandescente, não é o fogo, mas o ferro, que é golpeado.

Se controlamos a mente, não importa onde vivemos.

Capítulo 4

"Quem sou eu?"

O pensamento-"eu" é a fonte de todos os pensamentos. A mente só vai se dissolver através da autoinvestigação "Quem sou eu?". O pensamento "Quem sou eu?" destruirá todos os outros pensamentos e depois destruirá a si mesmo também. Se outros pensamentos surgirem, devemos perguntar a quem esses pensamentos ocorrem, sem tentar completá-los. Que importa quantos pensamentos surgem? Na medida em que cada pensamento surgir, devemos estar vigilantes e perguntar para quem ele ocorre. A resposta será "para mim". Se você perguntar "quem sou eu?", a mente então voltará à sua Fonte (de onde surgiu). O pensamento que surgiu também desaparecerá. À medida que você praticar dessa forma mais e mais, o poder da mente de permanecer em sua Fonte aumentará.

Alimentando-se com uma quantidade moderada de comida *sāttvika* (pura) – o que é superior a qualquer outra regra e regulação de autodisciplina – a qualidade *sāttvika* ou pura da mente crescerá e isso ajudará a autoinquirição.

Embora os apegos sensoriais, antigos e imemoriais, possam surgir sob forma de incontáveis *vāsanās* (tendências mentais), assim como as ondas surgem no mar, todos eles serão destruídos na medida em que a meditação (*dhyāna*) avançar. Devemos nos agarrar sem cessar à meditação do Ser, sem duvidar da possibilidade de erradicar todas essas *vāsanās* e de só o Ser permanecer. Por mais pecadora que uma pessoa possa ser, se ela parar de se lamentar "Ai de mim que sou um pecador! Como posso eu alcançar a libertação?" e, abandonando até mesmo o pensamento de que é pecadora, se dedicar zelosamente à autoinquirição, ela com certeza realizará o Ser (*Ātman*).

Se o ego estiver presente, tudo o mais também existirá. Se estiver ausente, tudo o mais desaparecerá. Como o ego é tudo isso, investigar a sua natureza é a única forma de abandonar todo apego.

Controlando a fala e a respiração, e mergulhando fundo em nós mesmos, como alguém que mergulha na água para recuperar algo que nela caiu, devemos, por meio de um *insight* aguçado, descobrir a fonte de onde surge o ego.

A investigação, que é o caminho da Sabedoria (*Jñāna*), não consiste em repetir verbalmente "eu, eu", mas em buscar, por meio de uma mente profundamente interiorizada, de onde o "eu" surge. Pensar "Eu não sou isso", "Eu sou aquilo" pode ajudar, mas não constitui a inquirição em si.

Quando questionamos dentro da nossa mente "Quem sou eu?" e chegamos ao Coração, o "eu" sucumbe e imediatamente outra entidade se revela proclamando "Eu-Eu". Muito embora ela também surja dizendo "eu", não se trata mais do ego, mas sim da Existência Única, perfeita.

Se investigarmos incessantemente a forma da mente, descobriremos que não existe algo chamado "mente". Este é o caminho direto aberto a todos.

A mente é constituída apenas de pensamentos, e para todos eles a base ou fonte é o pensamento-"eu". O "eu" é a mente. Se nos voltarmos para dentro perguntando pela Fonte do "eu", o "eu" sucumbe. Esta é a investigação da Sabedoria.

Onde o "eu" se dissolve, outra entidade emerge como "Eu-Eu" por conta própria: é o Ser Perfeito.

É inútil remover as dúvidas [uma a uma]. Se esclarecermos uma, outra surgirá e não haverá fim para elas. Todas as dúvidas cessarão apenas quando quem duvida e sua Fonte forem encontrados. Procure a Fonte do responsável pela dúvida e você descobrirá que ele na realidade não existe. Se o questionador cessar, as dúvidas também cessarão.

Como a Realidade é você mesmo, não há nada a realizar. Todos tomam o irreal por real. É preciso que você desista de tomar o irreal por real. A finalidade de toda meditação ou repetição de *mantras* (*japa*) é apenas isso – abrir mão de todos os pensamentos referentes ao não Eu; é desistir de todos os pensamentos e concentrar-se num só. O objetivo de toda prática (*sādhana*) é fazer com que a mente fique unifocada, concentrando-a num só pensamento e assim excluindo os demais. Fazendo isso, no final até mesmo esse pensamento único irá embora e a mente se extinguirá em sua fonte.

Quando inquirimos "Quem sou eu?", o "eu" investigado é o ego. Também é esse "eu" quem faz a autoinvestigação (*vichāra*). O Ser não tem inquirição. É o ego que faz a investigação. O "eu" sobre o qual a investigação é feita também é o ego. Como resultado da investigação, o ego deixa de existir e descobrimos que somente o Eu Real existe.

Qual a melhor maneira de matar o ego? Para cada um o melhor caminho é aquele que parece mais fácil ou que tem maior apelo. Todos os caminhos são igualmente bons, na medida em que conduzem ao mesmo objetivo: dissolver o ego no Eu Real. O que o devoto (*bhakta*) chama de entrega, aquele que faz a investigação (*vichāra*) chama de Sabedoria (*Jñāna*). Ambos estão tentando levar o ego de volta à Fonte da qual ele surgiu e fazê-lo ser absorvido por ela.

Pedir que a mente mate a si mesma é como fazer do ladrão um policial. Ele irá com você e fingirá prender o ladrão, mas nada será ganho. Portanto, volte-se para dentro, veja de onde surge a mente e ela deixará de existir.

A respiração e a mente surgem da mesma fonte e quando uma delas é controlada, a outra também fica controlada. De fato, no método investigativo – no qual, aliás, a pergunta "De onde eu vim?" seria mais correta do que "Quem sou eu?" – não estamos simplesmente tentando eliminar, dizendo "não somos o corpo, nem os sentidos" e assim por diante, visando alcançar a realidade última, mas sim estamos procurando descobrir onde surge o pensamento-"eu" ou ego dentro de nós. O método contém em si – de forma implícita – a observação da respiração. Quando observamos de onde o pensamento-"eu" surge, estamos observando também a fonte da respiração, já que tanto o pensamento-"eu" quanto a respiração provêm da mesma Fonte.

O controle da respiração pode servir como uma ajuda, mas por si mesmo nunca pode levar ao objetivo. Enquanto você o pratica mecanicamente, procure manter a mente alerta, lembrando do pensamento-"eu" e da busca pela sua Fonte. Então você descobrirá que o pensamento-"eu" surge do lugar no qual a respiração desaparece. Eles desaparecem e emergem juntos. O pensamento-"eu" também submergirá junto com a respiração. Simultaneamente, um outro "Eu-Eu" – luminoso e infinito – emergirá, e será constante e inquebrantável. Este é o objetivo, o qual recebe diferentes nomes: Deus, Eu Real, *Kundalinī*, *Shakti*, Consciência, etc.

"Quem sou eu?" não é um *mantra*. Significa que você deve descobrir onde em você surge o pensamento-"eu", que é a fonte de todos os outros pensamentos. Mas se você achar que o caminho da investigação é difícil demais, continue a repetir "eu-eu", e isso o levará ao mesmo objetivo. Não há nenhum mal em usar o "eu" como um *mantra*. Trata-se do primeiro nome de Deus [Eu Sou].

Peço que veja onde o "eu" surge em seu corpo; mas realmente não é muito correto dizer que o "eu" surge e dissolve-se no Coração no lado direito do peito. O Coração é outro nome para a Realidade e não está nem dentro nem fora do corpo. Não pode haver nenhum dentro e fora para Ela, já que a Realidade apenas *é*. Por "Coração" não me refiro a nenhum órgão fisiológico, nenhum plexo de nervos ou qualquer coisa do gênero. Mas enquanto a pessoa se identificar com o corpo e pensar ser o corpo, ela é aconselhada a ver no corpo onde o pensamento-"eu" surge e volta a se dissolver. Deve ser no Coração, no lado direito do peito. Todo homem de qualquer raça, língua ou religião, quando diz "eu", aponta para o lado direito do peito para referir-se a si mesmo. Isso é verdadeiro em todo o mundo. Portanto, esse deve ser o lugar. E observando-se de forma perspicaz o constante surgimento do pensamento-"eu" no estado de vigília e de seu desaparecimento no sono, podemos ver que surge no Coração no lado direito.

Saiba primeiro quem você é. Isso não requer escrituras ou erudição. É simplesmente experiência. O estado de Ser está aqui e agora o tempo todo. Você perdeu contato consigo mesmo e está pedindo orientação aos outros. O propósito da espiritualidade é voltar a mente para dentro. *Se você conhecer a si mesmo, nenhum mal poderá lhe acontecer. Como você me perguntou, eu estou lhe dizendo* (verso do *Kaivalya Navaneeta*). O ego só surge agarrando-se a você (o Eu Real). Permaneça no Eu Real e o ego desaparecerá. Até este momento o sábio estará feliz dizendo: "Eis aí", e o ignorante perguntando: "Onde?".

A regulação da vida, tal como levantar-se em uma hora

determinada, tomar banho, praticar repetição de *mantras*, etc., tudo isso é para quem não se sente atraído pela autoinvestigação ou não é capaz de fazê-la. Mas para aqueles que podem praticar esse método, todas as regras e disciplinas são desnecessárias.

Sem dúvida é dito em alguns livros que devemos cultivar uma virtude após outra e assim nos prepararmos para a Libertação (*moksha*); mas para os que seguem o caminho da Sabedoria ou da investigação (*Jñāna* ou *vichāra*), sua *sādhana* é por si só suficiente para adquirir todas as qualidades divinas. Eles não precisam fazer mais nada.

O que é [*o mantra*] *Gayatri*? Na verdade, quer dizer "Deixe-me concentrar Naquele que tudo ilumina".

Capítulo 5

Entrega

Deus suportará qualquer fardo que pusermos sobre Ele. Todas as coisas estão sendo conduzidas pelo poder onipotente de um Deus Supremo. Ao invés de nos submetermos a Ele, por que ficamos sempre a planejar, perguntando-nos se "devemos fazer isso ou aquilo"? Sabendo que o trem carrega toda a carga, por que nós viajantes deveríamos sofrer carregando nossas trouxas na cabeça, em lugar de nos alegrar e deixar que o trem as leve?

A história de *Ashtavakra* ensina que para vivenciar a Sabedoria Divina (*Brahma Jñāna*) tudo o que é necessário é entregar-se completamente ao Guru, desistindo das noções de "eu" e "meu". Se esses conceitos forem renunciados, o que permanece é a Realidade.

Há dois caminhos para se realizar a entrega. Um é buscar a fonte do "eu" e mergulhar nessa Fonte; o outro é sentir "eu sou impotente sozinho; apenas Deus é todo-poderoso, e a única maneira de estar seguro é me jogando completamente Nele", assim desenvolvendo gradualmente a convicção de que apenas Deus existe, e de que o ego é irrelevante. Ambos os métodos levam ao mesmo objetivo. A entrega completa é apenas outro nome para *Jñāna* (Sabedoria) ou Libertação.

A devoção (*bhakti*) não é diferente da Libertação (*mukti*). Devoção é ser o Eu Real. Sempre somos Aquilo. O devoto realiza-O através dos meios que adota. O que é devoção? É pensar em Deus. Isso significa que apenas um pensamento prevalece, com a exclusão de todos os outros. Esse pensamento é de Deus, que é o Eu Real, ou é o ego entregando-se a Deus. Quando Ele tiver lhe possuído, nada mais irá perturbá-lo. A ausência de pensamento é devoção e também Libertação.

A devoção é a mãe da Sabedoria.

As pessoas se perguntam por que toda essa criação é tão cheia de sofrimento e maldade. A única coisa que se pode dizer é que assim é a inescrutável vontade de Deus. Nenhum motivo, nenhum desejo, nenhum objetivo a ser alcançado pode ser atribuído àquele Ser infinito, onisciente e onipotente. Deus permanece intocado pelas atividades que acontecem na Sua presença. Não faz sentido atribuir responsabilidades e motivos ao Um antes dele se fazer múltiplo. Dizer que o curso prescrito dos acontecimentos é fruto da vontade de Deus é uma boa solução para a questão controvertida do livre-arbítrio. Se a mente está preocupada com o que acontece ou com o que fizemos ou deixamos de fazer, é então sábio desistir da noção de responsabilidade e livre-arbítrio, vendo a nós mesmos como instrumentos dispostos pelo Onisciente e Onipotente, fazendo e sofrendo o que Lhe apraz. Assim Ele suporta todos os fardos e nos traz a paz.

Uma Maharani disse ao Bhagavan: "Sou abençoada com tudo o que um ser humano poderia desejar". A voz de Sua Alteza silenciou. Controlando-se, ela continuou devagar: "Tenho tudo o que um ser humano poderia desejar, mas... mas... falta-me a paz de espírito. Algo a impede – provavelmente meu destino". Houve silêncio por instantes. Então Bhagavan falou com sua maneira doce usual: *Muito bem, você disse o que gostaria. Bem, o que é destino? Não há destino. Entregue-se e tudo ficará bem. Jogue toda a responsabilidade sobre Deus e não carregue o fardo você mesma. O que o destino poderá fazer-lhe então?*

Devota: A entrega é impossível.

Bhagavan: Sim, a entrega total é impossível agora, mas a entrega parcial é possível para todos. Com o decorrer do tempo, isso conduzirá à entrega total. Se a entrega não é possível, o que pode ser feito? Não há paz de espírito. Você não tem o poder de produzi-la – isso só pode ser feito com a entrega.

D.: Entrega parcial – bem, isso pode desfazer o destino?

B.: Ah sim, pode.

D.: Não é o destino fruto do *karma* passado?

B.: Se a pessoa se entregou a Deus, Ele cuidará disso.

D.: Sendo o destino providência divina, como Deus o desfaz?

B.: Tudo reside Nele somente.

Para uma devota que rezava para ter mais visões de *Shiva*, Bhagavan disse: "Entregue-se a Ele e aceite a Sua vontade, quer Ele apareça ou desapareça. Aguarde Sua graça. Se você espera que Ele aja como você quer, isso é ordem e não entrega. Você não pode pedir que Ele lhe obedeça e ainda assim pensar que se entregou. Ele sabe o que é melhor para você, e como e quando fazê-lo. O fardo é d'Ele e você não deve mais se preocupar. Todas as suas preocupações e incumbências são na verdade d'Ele. Isso é entregar-se. Isso é *bhakti*."

Capítulo 6

Os Três Estados: Vigília, Sonho e Sono

Não há diferença entre os estados de sonho e vigília, exceto que o sonho é curto e a vigília é longa. Ambos são produtos da mente. Nosso real estado é chamado de *turīya* (quarto estado), que está além dos estados de vigília, sonho e sono profundo.

Somente o Ser existe e permanece como o que *é*. Os três estados devem sua existência à não investigação (*avichāra*), e a investigação põe um fim a eles. Entretanto, por mais que se explique, tal fato não fica claro até que a pessoa atinja a Autorrealização e se surpreenda como era cega em relação à existência única e autoevidente.

Tudo o que vemos, quer seja dormindo ou no estado de vigília, é um sonho. Por conta de padrões arbitrários sobre a duração da experiência e assim por diante, chamamos uma de sonho e a outra de vigília. Do ponto de vista da Realidade, ambas as experiências são irreais. Um homem pode passar pela experiência de ter recebido uma Graça (*anugraha*) em seu sonho, cujos efeitos e influências são tão profundos e duradouros em sua vida, que ele não pode chamar essa experiência de irreal, enquanto considera real um incidente superficial e casual na sua vida diária, que passa rapidamente sem maiores consequências, sendo logo depois esquecido.

Certa vez tive uma experiência, visão ou sonho, como queiram chamá-la. Eu e alguns outros, inclusive Chadwick, estávamos fazendo uma caminhada na montanha e, na volta, caminhávamos por uma enorme rua com grandes edifícios de cada lado. Apontando a rua e seus edifícios, perguntei-lhes se alguém poderia dizer que o que estávamos vendo era um sonho, e todos eles responderam: "Que tolo diria tal coisa?" Continuamos a caminhar, entramos no saguão e a visão ou sonho cessou; ou eu acordei. Como chamaríamos tal experiência?

Pouco antes de acordarmos, há um estado muito breve em que não ocorrem pensamentos. Devemos nos manter permanentemente nesse estado.

No sono sem sonhos não há mundo, ego ou infelicidade – apenas o Eu Real permanece. No estado de vigília tudo isso existe; contudo, o Eu Real lá está. Basta remover os fenômenos transitórios para perceber a beatitude sempre presente do Eu Real.

Sua natureza é bem-aventurança. Descubra Aquilo no qual todo o resto é sobreposto e então você permanecerá como puro Eu Real.

No sono não há espaço ou tempo. Espaço e tempo são conceitos, emergindo depois que o pensamento-"eu" emerge. Você está além do tempo e do espaço. O pensamento-"eu" é o "eu" limitado. O verdadeiro "Eu" é ilimitado, universal, além do espaço e do tempo. Assim que estiver acordando e antes de perceber o mundo objetivo, existe um estado de Pura Consciência: o puro Eu. Isso precisa ser reconhecido.

Capítulo 7

A Graça e o Guru

EU NÃO DISSE QUE O GURU NÃO É NECESSÁRIO. Mas o Guru não precisa estar sempre em uma forma humana. Primeiramente, a pessoa pensa ser inferior e que existe um Deus superior, onisciente e onipotente, que controla seu próprio destino e o do mundo, e adora-O ou presta-Lhe devoção (*bhakti*). Quando ela chega a certo estágio e está pronta para a iluminação, o mesmo Deus vem como Guru e a guia daí para frente. Tal Guru vem apenas para lhe dizer que "Aquele Deus está dentro de você. Mergulhe em si e perceba-O". Deus, o Guru e o Eu Real são a mesma coisa.

A Realização resulta mais da graça do Mestre ou Guru do que de ensinamentos, palestras, meditações, etc. Essas são apenas ajudas secundárias, enquanto que aquela é a causa primeira e essencial.

A graça do Guru está sempre disponível. Você a imagina como algo em algum lugar lá em cima no céu, distante, e que tem que descer. Na verdade, ela já está dentro de você, no seu

Coração; e no momento em que você se acalma ou funde a sua mente na Fonte, por qualquer método, a graça surge, jorrando como uma nascente de dentro de você.

O contato com os Sábios (*Jñānīs*) é bom. Eles irão trabalhar através do silêncio. Um Guru não é a forma física. Por isso, seu contato permanece mesmo após a forma física do Guru desaparecer.

Quando sua devoção a Deus amadurecer, Ele vem na forma de um Guru e de fora empurra sua mente para dentro, enquanto ao mesmo tempo puxa sua mente do lado de dentro, como Eu Real. Em geral, tal Guru é necessário, a não ser no caso de almas raras e avançadas.

A pessoa pode procurar outro Guru depois que seu Guru se for. Mas, no final das contas, os Gurus são um só, já que nenhum deles é a forma. O contato mental é sempre o melhor.

Satsang significa associação com a Realidade (*Sat*). Aquele que compreendeu ou realizou *Sat*, também é considerado *Sat*. Essa associação é absolutamente necessária para todos. Shankara disse: "Em todos os três mundos não existe melhor barco do que *satsang* para cruzar com segurança o oceano dos nascimentos e mortes".

Como o Guru não é físico, o contato com Ele continuará depois que sua forma desaparecer. Se existe um Iluminado (*Jñānī*) no mundo, sua influência é sentida por todos e beneficia a todos, e não simplesmente a seus discípulos imediatos. Como descrito no *Viveka Chudamani* [Editora Teosófica, 1992], as pessoas no mundo podem ser classificadas em quatro categorias: os discípulos do Guru, os devotos [do Guru], os que lhe são indiferentes e os que lhe são hostis. Todos são beneficiados pela existência do *Jñānī* – cada qual a seu modo e em diferentes níveis.

Bhagavan leu alguns trechos do livro de Paul Brunton, *A Graça Divina através da autoentrega total* [*Divine Grace Through Total Self-Surrender*], para nosso proveito:

"A Graça Divina é uma manifestação do livre-arbítrio cósmico em atividade. Ela pode alterar o curso dos acontecimentos de uma maneira misteriosa, através de suas próprias leis desconhecidas. Ela é superior a todas as leis naturais e pode modificá-las, interagindo com elas. É a força mais poderosa no universo.

"Ela desce e age só quando invocada pela total autoentrega. Ela age de dentro porque Deus reside no Coração de todos os seres. Seus sussurros só podem ser ouvidos por uma mente purificada pela autoentrega e pela oração.

"Os racionalistas riem disso e os ateus debocham, mas ela existe. É uma descida de Deus na zona de consciência da alma. Trata-se de uma visita de forças inesperadas e imprevisíveis, uma voz que fala a partir do silêncio do cosmos. É "a Vontade Cósmica que pode desempenhar autênticos milagres de acordo com suas próprias leis"."

Na verdade, Deus e o Guru não são diferentes. Assim como a presa na mandíbula de um tigre não tem escapatória, também aqueles que caem no campo do olhar gracioso do Guru serão salvos e não se perderão. Contudo, cada um deve seguir, pelo seu próprio esforço, o caminho indicado por Deus ou pelo Guru e libertar-se.

A todo aquele que busca Deus deve ser permitido seguir seu próprio caminho, caminho este que pode servir só para ele [ou que só para ele tenha significado]. Não vai adiantar convertê-lo a outro caminho à força. O Guru acompanhará o discípulo em seu próprio caminho; então, gradualmente o guiará ao caminho Supremo na medida em que ele amadurece. Imagine um carro andando na velocidade máxima: pará-lo repentinamente ou mudar sua direção provocaria consequências desastrosas.

Capítulo 8

Autorrealização

O estado que chamamos de realização é simplesmente ser o que se é, e não saber algo ou tornar-se algo. Se nós nos realizamos, somos Aquilo que apenas é e que sempre foi. Não podemos descrever tal estado. Só podemos ser Aquilo. É claro que falamos livremente de Autorrealização na falta de um termo melhor.

Aquilo que *é*, é paz. Tudo que precisamos fazer é permanecer em silêncio. A paz é nossa verdadeira natureza. Nós a estragamos. Tudo o que é necessário é que paremos de fazê-lo. Por exemplo, há espaço numa sala (ou quarto). Não vamos criar um novo espaço. Enchemos o lugar com artigos diversos. Se quisermos mais espaço, tudo que precisamos é remover esses artigos para obter mais espaço. Do mesmo modo, se removermos todo o entulho da mente, a paz se manifesta. Aquilo que impede a paz deve ser removido. A paz é a única Realidade.

A Libertação (*mukti*) é a nossa natureza, um outro nome para nós. É muito engraçado que nós desejemos a Libertação.

É como um homem que está na sombra, deixa-a por vontade própria, vai para o sol, sente forte calor, faz grandes esforços para retornar para a sombra e então exulta: "Finalmente, voltei à sombra. Como é agradável!" Nós estamos fazendo exatamente a mesma coisa. Não somos diferentes da Realidade. Imaginamos sê-lo; ou seja, criamos um sentimento de diferença e então nos submetemos a grandes práticas espirituais (*sādhanas*) para nos livrarmos desse sentimento e realizar a unidade [supostamente perdida]. Por que imaginar ou criar o sentimento de diferença para depois destruí-lo?

É falso falar de realização. O que há para realizar? O Real é o que é, sempre. Como realizá-lo? Nós temos realizado o irreal, isto é, visto como Real o que é irreal. Tudo o que é necessário é desistir de tal atitude. É tudo o que se pede para alcançar a Sabedoria (*Jñāna*). Não estamos criando algo novo ou atingindo algo que não tínhamos antes. Eis a ilustração mostrada nos livros: cavamos um poço e criamos um enorme buraco. O espaço no poço ou buraco não foi criado por nós. Nós só retiramos a terra que ocupava o espaço lá. O espaço existia antes e continua existindo. Do mesmo modo, apenas temos que jogar fora todas as tendências inatas (*samskāras*) que residem em nós desde longa data. Quando todas forem eliminadas, o Eu Real brilhará por si só.

A Consciência sem esforço ou escolha é nosso Estado Real. Se podemos atingi-l'O ou estar n'Ele, tudo está bem. Mas não podemos atingi-l'O sem o esforço da meditação deliberada. Todas as tendências latentes (*vāsanās*) de longa data direcionam a mente para fora, para objetos externos. Todos esses pensamentos devem ser abandonados e a mente interiorizada. Para a maioria das pessoas o esforço é necessário. Claro, todos os livros dizem "permaneça em silêncio" ou "apenas seja" (*summa iru*). Mas não é fácil. É por isso que todo esse esforço é necessário. Mesmo que você encontre alguém que alcançou sem esforço o silêncio, ou Estado Supremo, você pode entender que o esforço necessário já foi completado em uma vida passada. Tal consciência sem esforço e sem escolha só é alcançada depois da prática deliberada de meditação.

Sem dúvida, os livros falam de ouvir a verdade (*sravana*), reflexão (*manana*), concentração (*nididhyāsanā*), êxtase (*samādhi*) e Realização (*sakshatkaram*). Nós somos sempre o Real (*sakshat*). Então, o que há para ser atingido (*karam*) depois disso? Chamamos esse mundo de diretamente presente (*sakshat* ou *pratyaksha*). Tudo que muda, que aparece e desaparece, e não é Real (*sakshat*), nós consideramos real. Sempre somos, e nada pode ser mais diretamente presente do que nós mesmos. A esse respeito dizemos que temos que atingir a Realização (*sakshatkaram*) depois de todas essas práticas (*sādhanas*). Nada poderia ser mais estranho. O Eu Real não é atingido por qualquer outra prática que não seja permanecer imóvel e ser o que já somos.

Dizemos que só o que vemos com os olhos é conhecimento direto (*pratyaksha*). Antes de mais nada, antes que qualquer coisa possa ser observada, é preciso que o observador exista. Você mesmo é o olho que vê, o "Olho Infinito" referido no texto "A Realidade em Quarenta Versos" (Ulladu Narpadu).

As pessoas temem que, quando o ego ou a mente forem extintos, haverá um mero branco e não a felicidade. O que realmente acontece é que o pensador, a coisa pensada e o pensamento em si fundem-se na mesma Fonte que é Consciência e a própria Felicidade. Assim, esse estado não é nem inerte e nem um branco. Não entendo por que as pessoas temem tal estado no qual todos os pensamentos cessam e a mente se dissolve. Todos os dias elas experimentam tal estado quando dormem. Não há mente e nem pensamento no sono [profundo]. Contudo, quando acordam dizem: "Tive um sono feliz"[11] . O sono é tão caro a todos que ninguém, príncipe ou mendigo, pode passar sem ele.

Quando ainda temos falsos conceitos e tentamos nos livrar deles – isto é, quando não sendo perfeitos fazemos um esforço consciente para manter a mente centrada ou livre de pensamento – , trata-se de *Nirvikalpa Samādhi*. Quando pela prática estamos sempre nesse estado, sem entrar e sair dele, trata-se do estado natural (*Sahaja Samādhi*). Nesse estado, sempre vemos a nós mesmos. Vemos o mundo[12] enquanto Realidade ou enquanto forma do Absoluto (*Brahman*). No devido tempo, o que era um meio torna-se um fim em si, por qualquer método que se

---

[11] Ou "Dormi bem". [N.T.]
[12] O termo sânscrito utilizado, *"jagat"*, tem sentido de "mundo" enquanto "universo" ou totalidade da manifestação. [N.T.]

siga. Meditação (*dhyāna*), Sabedoria (*jñāna*), devoção (*bhakti*) e êxtase (*samādhi*) – todos são nomes do nosso Estado Real. Conhecer o seu Ser é apenas *ser* você mesmo, já que não há uma segunda existência. Isto é Autorrealização. Você pode continuar lendo livros sobre Vedanta. Eles só vão lhe dizer: "Realize o Ser". O Ser não pode ser encontrado nos livros. Você tem que encontrá-lo por você mesmo, em você mesmo.

O Senhor, cujo lar está no interior do Lótus do Coração e que lá brilha como "eu", é exaltado como sendo o Senhor da Caverna. Se, devido à prática, o sentimento "Eu sou Ele, eu sou o Senhor da Caverna" (*Guhesa*) se estabilizar – ficando tão firme quanto sua noção atual de que você é o ego está estabelecida no seu corpo – de forma que você exista sendo o próprio Senhor da Caverna, então a ilusão de que você é o corpo perecível desaparecerá como as trevas diante do Sol nascente.

Os verdadeiros *karma*, *rāja*, *bhakti* ou *jñāna*[13] *yoga* consistem em descobrir quem é esse que age (ou produz *karma*),

---

[13] Aqui Sri Ramana faz referência às quatro abordagens espirituais elementares: *karma yoga* (busca a purificação através da ação, sem desejar os resultados da ação altruísta e do serviço), *rāja yoga* ou simplesmente *yoga* (busca a união com o Eu Real através do controle e aquietamento da mente), *bhakti yoga* (busca a Divindade ou o Supremo através do desenvolvimento da entrega e do sentimento de devoção), e *jñāna yoga* (busca eliminar a ignorância espiritual através do conhecimento de que nós já somos o Eu Real). O que Bhagavan aponta aqui é que todos os caminhos e práticas espirituais dizem respeito a um "eu" que se imagina separado e faz um esforço através de qualquer uma dessas formas, estando todos eles baseados na ilusão da individualidade – no sentido de que eu sou o agente, ou de que eu possuo uma mente individual, ou que eu estou separado de Deus, ou de que eu estou sob o jugo da ignorância espiritual (respectivamente). [N.T.]

ou busca reunir-se através do *yoga*, ou sente a separação de seu Senhor, ou é ignorante. Nenhum desses caminhos existe sem o "eu". Portanto, permanecer como "Eu" é a Verdade.

Se nos consideramos como os autores da ação, também deveremos colher os frutos da ação. Se ao investigar quem pratica essas ações o buscador realizar o Ser, o sentimento de que ele é o agente desaparecerá e, com ele, os três tipos de *karma*: *sañchita*, *āgāmya* e *prārabdha*[14]. Este é o estado de Libertação eterna.

Nossa verdadeira Natureza é Libertação. Mas nós imaginamos que estamos aprisionados[15] e que fazemos extenuantes esforços para nos libertar, enquanto somos livres todo o tempo. Isso só será compreendido quando alcançarmos aquele estágio. Ficaremos então surpresos por termos estado loucamente tentando atingir algo que já somos.

Uma ilustração esclarecerá esse ponto. Um homem vai dormir nesta sala. Ele sonha que está fazendo uma viagem pelo mundo, atravessando montanhas e vales, florestas e planícies, mares e desertos, passando por vários continentes e, após muitos anos, fatigado com essas viagens tão árduas, retorna a este país, chega até Tiruvannamalai, entra no *ashram* e caminha até esta sala. Então naquele momento ele acorda e percebe que não

---

[14] Sri Ramana compartilhava a visão de muitas escolas de pensamento hindus acerca da classificação tríplice do *karma*. Segundo Bhagavan há três tipos de *karma*: *sañchita karma* (o reservatório de todo o *karma* acumulado de vidas passadas), *prārabdha karma* (a parte do *sañchita karma* que foi selecionada para ser frutificada nesta vida, sendo muitas vezes traduzida como "destino") e *āgāmya karma* (o novo *karma* acumulado pelas ações feitas nesta vida). [N.T.]

[15] Outra maneira de traduzir esta passagem é: "Mas nós imaginamos que somos limitados" [N.T.]

tinha saído dali o tempo todo, e que tudo fora um sonho. Ele não voltou a esta sala depois de grandes esforços – ele está aqui e esteve aqui o tempo todo. É exatamente assim. Se você perguntar: Por que imaginamos que estamos presos quando estamos realmente livres? Eu respondo: "Por que você imaginou que viajava o mundo, atravessando montanhas e vales, mares e desertos, se estava aqui nesta sala?" Tudo é [o jogo da] mente ou *māyā*.

Díades ou pares de opostos, como prazer e dor, e tríades – como a diferença entre conhecedor, conhecido e conhecimento – dependem de uma coisa: o ego. Quando procuramos pelo ego no Coração e descobrimos sua verdadeira natureza, elas [as diferenças] desaparecem. Apenas aqueles que descobriram a verdadeira natureza do ego viram a Realidade. Eles não terão mais dúvidas e ansiedades.

Não existe conhecimento separado da ignorância, ou ignorância separada do conhecimento. O verdadeiro Conhecimento (*Jñāna*) é apenas aquele que surge quando perguntamos a quem esse conhecimento ou ignorância ocorre, alcançando assim aquela Fonte que é o Eu Real.

O pensamento "eu sou o corpo" é ignorância; mas [reconhecer] o fato de que o corpo não está separado do Eu Real é conhecimento. O corpo é uma projeção mental. A mente é o ego e o ego provém do Ser. O pensamento-corpo distrai e leva para fora do Eu Real. Para quem existe o corpo ou o nascimento? Não é para o Eu Real ou Espírito. É para o não eu que se imagina separado do Eu Real.

Enquanto houver o sentimento de separação, haverá pensamentos perturbadores. Se a Fonte original for recuperada e o sentimento de separação terminar, haverá paz. Uma pedra apanhada e jogada para cima não descansará até que caia de novo no chão. As águas do oceano que evaporam e sobem para o céu como nuvens não encontram sossego até que retornem como chuva e por fim escorram de volta ao oceano. O ego só encontra a paz quando se funde à sua Fonte, o Eu Real.

Ver Deus em qualquer forma e falar com Ele é tão real quanto a sua própria realidade. Em outras palavras, quando você se identifica com o corpo no estado de vigília, você vê objetos grosseiros; quando no corpo sutil (plano mental), como no sonho, você vê objetos igualmente sutis; na ausência de qualquer identificação, como no sono profundo, você nada vê. Os objetos vistos guardam relação com o estado [de consciência] de quem vê. O mesmo se aplica à visão de deuses. Através de uma longa prática, a imagem do deus em que se medita aparece no sonho e, mais tarde, pode aparecer mesmo em vigília.

Existiu um santo chamado *Nam Dev*. Ele podia ver, falar e brincar com *Vithoba*, o deus de *Pandharpur*. Deus tinha de ensiná-lo que isso não era suficiente e que é preciso ir além e realizar o Ser, onde o observador e o observado são um.

[Bhagavan falando acerca da visão de *Shiva*:] Visão é sempre de um objeto, o que implica a existência de um sujeito. A visão tem o mesmo valor daquele que a vê. A natureza da visão está no mesmo plano da natureza de quem a vê. Da mesma forma, aparecimento implica desaparecimento. O que aparece deve também desaparecer. Uma visão nunca pode ser eterna. Mas *Shiva* é eterno.

A visão da forma cósmica de Deus (*Viswarupa darshan*) e a visão do Eu universal (*viswatma darshan*) são a mesma coisa. Tal visão (*darshan*) não é algo visto pelos olhos ou de qualquer outra forma grosseira. Como existe apenas o Ser sem segundo, qualquer coisa vista não pode ser real. Essa é a verdade.

A moral por trás da história de *Ashtavakra* e *Janaka* é simplesmente esta: o discípulo se entrega ao Mestre. Isso significa que não há vestígio de individualidade por parte do discípulo. Se a entrega é completa, todo sentimento de individualidade se perde e não há razão para infelicidade. O Eu Eterno é só felicidade, e isso é revelado.

Todo o Vedanta está contido em duas afirmações da Bíblia: "Eu sou o que sou" [Ex.3,14] e "Permaneça imóvel e saiba que Eu sou Deus" [Salmo 46, 10].

Há um estado além do esforço e da ausência de esforço. Até que isso seja realizado, o esforço é necessário. Depois de provar tal bem-aventurança, mesmo que uma única vez, a pessoa tentará repeti-la. Uma vez tendo experimentado a beatitude da paz, ninguém vai querer ficar fora dela ou envolver-se noutra coisa. É tão difícil para um Iluminado estar envolvido com os pensamentos como o é para um não iluminado estar sem eles.

Nenhum tipo de atividade afeta um *Jñānī* (ser Iluminado), que permanece sempre na paz eterna.

A Divindade de nossa escolha[16] e o Guru são ajudas muito poderosas nessa senda. Mas para serem efetivas, também é necessário o seu esforço, condição *sine qua non*. É você que deve ver o sol. Podem os óculos e o sol verem por você? Você mesmo deve ver sua verdadeira natureza. Para isso, não é necessário muita ajuda.

Primeiro, vemos o Eu Real como objetos, depois como vazio, e então vemos o Eu Real como Eu Real. Só no último caso não há uma visão, já que o ver é tornar-se.

Quanto mais controlamos o pensamento, a atividade e a alimentação, mais podemos controlar o sono. A moderação deve ser a regra do aspirante, como explicado no *Bhagavad-Gitā*. Nele é explicado que o sono é o primeiro obstáculo de todos os buscadores. O segundo obstáculo é chamado *vikshepa*, os objetos dos sentidos do mundo que desviam a nossa atenção. O terceiro, *kashāya*, são os pensamentos relacionados a experiências anteriores com objetos dos sentidos. O quarto é a beatitude (*ānanda*), também tida como obstáculo, porque neste estado está presente um sentido de separação em relação à fonte da beatitude, levando aquele que a desfruta a dizer "**Eu** estou gozando de *ānanda*". Mesmo isso deve ser superado, e o estágio final de êxtase (*samadhana* ou *samādhi*) tem que ser alcançado, quando então nos tornamos *ānanda*, ou um com a Realidade, e a dualidade do experimentador e daquilo que é ex-

---

[16] A referência aqui é ao termo hindu "*Ishta Devata*" – "divindade predileta", significando aquela escolhida pelo devoto para adoração e devoção. [N.T.]

perimentado dissolve-se no oceano da Existência, Consciência e Bem-aventurança (*satchidananda*) – o oceano do Eu Real.

O poder da Autorrealização de um *Jñānī* (Iluminado, ou Sábio) é superior a todos os poderes ocultos. Para o Iluminado não há "outros". Mas qual é o mais alto benefício que pode ser conferido aos "outros", como os chamamos? É a felicidade. A felicidade nasce da paz. A paz só pode reinar quando não é perturbada por pensamentos. Quando a mente é aniquilada, há perfeita paz. Como já não há mente, o Iluminado não pode perceber a existência de "outros". Mas o simples fato da sua Autorrealização basta para tornar os seres mais pacíficos e felizes.

[A seguir, o extrato feito de uma carta do poeta Tennyson para B.P. Blood foi lido na presença de Bhagavan:]

"Desde a infância, quando ficava muito sozinho, tenho tido frequentemente uma espécie de transe acordado. Isso geralmente vem quando eu repito meu nome para mim mesmo por duas ou três vezes, em silêncio, até que de repente, como que resultante da intensidade da consciência de minha individualidade, a própria individualidade parece se dissolver e desaparecer no Ser sem limites. E isso não é um estado confuso, mas sim o mais claro, a certeza das certezas, o mistério dos mistérios, muito além das palavras, onde a morte é quase uma impossibilidade risível – a perda da personalidade (se assim o fosse) parece não uma extinção, mas sim a única vida verdadeira."

Bhagavan disse:
Este estado é chamado de permanecer no Eu Real.

Capítulo 9

O Coração

No centro da cavidade do coração, apenas *Brahman* brilha por si mesmo como Ser (*Ātman*), no sentimento "Eu-Eu". Mergulhando dentro de si, acesse o Coração, seja pelo controle da respiração, seja pela concentração do pensamento na busca do Eu. Desse modo, você se fixará no Eu Real.

Venho dizendo que o Centro do Coração fica do lado direito, ainda que homens instruídos discordem de mim.[17] Falo por experiência própria. Sabia disso mesmo quando em casa e durante meus transes (*samādhi*). Voltando ao assunto, no incidente registrado no livro *Autorrealização*, tive um reconhecimento e uma experiência muito claros. De repente, surgiu uma luz desfazendo minha percepção do mundo. Senti o coração à esquerda parar e o corpo ficar inerte. Vasudeva Shastri abraçou o corpo e lamentou a minha morte, mas eu não podia falar. Du-

---

[17] Em seus ensinamentos, Bhagavan sempre citava uma passagem da Bíblia (Ecl.10,2), onde seu autor, presumivelmente Salomão, afirma que o ignorante tem o coração à esquerda, mas o sábio o tem do lado direito. [N.T.]

rante todo o tempo, senti que o Coração à direita estava funcionando melhor do que nunca. Tal estado durou quinze ou vinte minutos. Subitamente, algo disparou da direita para a esquerda, como um foguete irrompendo no céu. O sangue voltou a circular e a condição normal do corpo foi restaurada.

O universo inteiro resume-se no corpo e o corpo todo, no Coração. O Coração é, assim, o núcleo do universo. Esse mundo nada mais é do que a mente, e a mente nada mais é que o Coração – eis toda a verdade.

A Fonte é um ponto sem dimensões. Por um lado ela se expande como cosmos e, por outro, como beatitude infinita. Este é o ponto central. Dele começa um simples movimento mental (*vāsanā*) e se expande como experimentador (o "eu"), experiência e experimentado (o mundo).

Rama questionou Vasishta: "Qual é o grande espelho no qual tudo isso não passa de reflexos? Qual é o coração de todas as almas ou criaturas neste universo?". Vasishta respondeu: "Todas as criaturas no universo têm dois tipos de coração – um para ser notado e outro para ser ignorado. Ouça suas respectivas características. O que é para ser ignorado é o órgão físico a que chamamos de coração, situado no peito como parte do corpo perecível. O notado é o Coração, que é da [mesma] natureza da Consciência. Ele está tanto dentro quanto fora de nós e não possui, portanto, um lado de dentro e um lado de fora".

Este é o Coração que é realmente importante. É o espelho que retém todos os reflexos, o fundamento e a fonte de todos os objetos e de todos os tipos de riqueza. Portanto, este Coração é apenas aquela Consciência que é o Coração de tudo. Não é aquele órgão – uma pequena parte do corpo, insensível como uma pedra e perecível. Assim, pode-se obter a erradicação de todos os desejos e o controle da respiração pela prática de dissolver a mente no Coração, que é Pura Consciência.

Concentrar todos os pensamentos exclusivamente no Eu Real conduzirá à felicidade e bem-aventurança. Recolher os pensamentos, restringi-los e impedi-los de se externarem chama-se desapego (*vairāgya*). Fixá-los no Eu Real, chama-se prática (*sādhana*). Concentrar-se no Coração é o mesmo que concentrar-se no Eu Real. "Coração" é outro nome para o Ser.

O Eu é o Coração. O Coração é autoluminoso. A Luz surge do Coração e atinge o cérebro, sede da mente. O mundo é visto com a mente, ou seja, com a luz refletida do Eu Real. Ele é percebido com a ajuda da mente. Quando a mente está iluminada, ela torna-se consciente do mundo, mas quando não iluminada, não está consciente do mundo. Se a mente volta-se para dentro, rumo à fonte da luz, o conhecimento objetivo cessa e apenas o Ser brilha enquanto Coração.

A lua brilha pela luz refletida do sol. Quando o sol se põe, a Lua torna-se útil para iluminar os objetos. Quando o sol se levanta, já não precisamos mais da lua [para isso], embora seu disco pálido ainda seja visível no céu. Assim também é com a mente e o Coração.

Capítulo 10

A Renúncia

Quando perguntado sobre como um chefe de família (*grihastha*) se encaixa no esquema da Libertação, Bhagavan disse: Por que você pensa que é um chefe de família? Se você se tornar um asceta (*sannyāsi*), um pensamento similar de que você é um asceta vai assombrá-lo. Quer você continue como chefe de família ou renuncie a tal condição e vá para a floresta, sua mente vai junto com você. O ego é a fonte de todo o pensamento. Ele cria o corpo, o mundo e faz você pensar que é um homem do mundo. Se você renunciar ao mundo, o pensamento de que você é um asceta substituirá o de que você é um chefe de família, e o ambiente da floresta substituirá o da casa. Mas os obstáculos mentais ainda estarão lá. Eles inclusive aumentam em novos ambientes. Mudar de ambiente não ajuda em nada. O obstáculo é a mente. Ela deve ser superada, seja em casa ou na floresta. Se você pode fazê-lo na floresta, por que não em casa? Então, para que mudar de ambiente? Seus esforços podem ser feitos agora mesmo, qualquer que seja o ambiente em que se encontre. O ambiente jamais muda conforme o seu desejo.

Se os objetos tivessem uma existência independente, isto é, se existissem em algum lugar qualquer separado de você, então seria possível afastar-se deles. Mas eles não existem separados de você; eles devem sua existência a você, a seus pensamentos. Portanto, onde você poderia ir para escapar deles?

Para onde você pode ir para fugir do mundo e de seus objetos? Eles são como a sombra de um homem, da qual ele não pode fugir. Há uma história engraçada de um homem que queria enterrar a própria sombra. Ele cavou um buraco fundo e, vendo sua sombra lá embaixo, alegrou-se de poder enterrá-la nas profundezas. Começou a encher o buraco, e quando estava completamente cheio, ficou surpreso e desapontado ao ver a sombra em cima novamente. Da mesma forma, os objetos e os pensamentos sobre eles estarão sempre com você, até que você realize o Ser.

Por que os seus deveres ou ocupações na vida deveriam atrapalhar o seu esforço espiritual? Por exemplo, há uma diferença entre suas atividades em casa e no trabalho. No trabalho você está desapegado: você apenas cumpre o seu dever e não se importa com o que vai acontecer, não está preocupado com o ganho ou a perda do seu chefe ou empregador. Os seus deveres com a família, por outro lado, são desempenhados com apego: você está sempre preocupado se as suas ações vão trazer benefício a você e sua família. Mas é possível desempenhar todas as atividades da vida com desapego e ver apenas o Ser como real. É errado pensar que se você permanecer fixado interiormente no Eu Real as obrigações da vida não serão bem desempenhadas. É como um ator no palco: vestido do personagem, ele age como tal e até sente que é parte da peça, mas na verdade sabe que na vida real não é o personagem, mas outra pessoa. Da mesma maneira, por que deveria a consciência do corpo ou o sentimento "eu-sou-o-corpo" lhe perturbar, uma vez que você saiba que na verdade você não é o corpo mas sim o Eu Real? Nada que o corpo faça deve afastá-lo da permanência como Eu Real. Permanecer fixado no Eu Real não irá interferir com o desempenho adequado e efetivo de quaisquer deveres que o corpo tenha, assim como o fato de o ator saber a sua verdadeira identidade não interfere no personagem que ele representa no palco.

A renúncia está sempre na mente, não em ir para a floresta ou locais solitários, ou em desistir de nossas obrigações. O importante é que a mente não se volte para fora, mas para dentro. Não compete ao homem decidir ir para este ou aquele lugar, abandonar ou não as suas obrigações. Tudo isso acontece de acordo com o destino.

Todas as atividades que o corpo deve vivenciar foram determinadas no momento em que ele veio à existência. Não cabe a você aceitá-las ou rejeitá-las. A única liberdade que você tem é voltar-se para dentro e aí renunciar às atividades. Ninguém pode dizer por que essa é a única liberdade deixada ao homem. Assim é o plano Divino.

Abandonar as atividades significa desistir dos apegos às atividades ou de seus frutos, abrindo mão da ideia de que "eu sou o agente". As atividades que o corpo está destinado a desempenhar terão que acontecer. Não há que se falar em desistir de tais atividades, gostemos ou não delas.

Se nos mantivermos fixados no Eu Real, as atividades continuarão a acontecer do mesmo jeito e seu sucesso não ficará comprometido. Não se deve ter a ideia de que somos nós os agentes. Ainda assim as atividades continuarão. Esta força – qualquer que seja o seu nome – que trouxe o corpo à existência cuida para que as atividades que o corpo está destinado a desempenhar sejam realizadas.

Se as paixões fossem algo externo a nós, poderíamos guerrear com elas e conquistá-las. Mas todas elas vêm de dentro de nós. Quando olhamos internamente a fonte de onde elas vêm, impedimo-las de surgir e as conquistamos. É o mundo e seus objetos que fazem surgir nossas paixões. Mas o mundo e seus objetos são apenas criados pela nossa mente. Eles não existem quando estamos no sono profundo.

O fato é que qualquer quantidade de ações pode ser desempenhada – e muito bem desempenhada – por um Iluminado (*Jñānī*), sem que haja identificação com elas ou a impressão de que é ele quem as faz. Um poder age através de seu corpo e o usa para fazer o trabalho.

Capítulo 11

O Destino e o Livre-Arbítrio

O destino e o livre-arbítrio sempre existiram. O destino é o resultado de ações passadas e diz respeito ao corpo. Deixe o corpo agir como lhe aprouver. Por que ficar preocupado com isso? Por que prestar atenção nele? O livre-arbítrio e o destino durarão enquanto o corpo durar. Mas a Sabedoria (*Jñāna*) transcende a ambos. O Eu Real está além do conhecimento e da ignorância. O que quer que aconteça é resultado de nossas ações passadas, da Vontade Divina e de outros fatores.

Só há duas maneiras de conquistar o destino ou ficar independente dele. Uma é investigar para quem existe esse destino e descobrir que só o ego é aprisionado pelo destino e não o Ser, e que o ego não existe. A outra é extinguir o ego através da entrega completa a Deus, compreendendo a nossa própria impotência e dizendo o tempo todo, "Não eu, mas Vós, ó Senhor!", assim renunciando todo sentimento de "eu" e "meu", e deixando que Deus faça o que Lhe aprouver com você. Uma anulação completa do ego é necessária para a conquista do destino, seja através da autoinvestigação, seja pela senda da devoção (*bhakti mārga*). Tudo está predeterminado. Mas o homem é sempre livre para não se identificar com o corpo e não ser afetado pelos prazeres ou dores decorrentes das atividades do corpo.

Apenas aqueles que não têm conhecimento da Fonte de onde surge o destino e o livre-arbítrio discutem qual dos dois prevalece. Aquele que realizou o Eu Real, que é a Fonte tanto do destino quanto do livre-arbítrio, deixou tais disputas para trás e já não tem nada mais a ver com eles[18].

Sucesso e fracasso são consequência do *prārabdha karma* (destino) e não da força de vontade ou da falta dela. Devemos tentar obter equilíbrio mental em quaisquer circunstâncias. Isto é força de vontade[19].

---

[18] O texto original também é ambíguo, não estando claro se "com eles" (*with them*) se refere às disputas, àqueles que discutem esses temas, ou ao livre-arbítrio e destino. Contudo, uma interpretação sistemática dos ensinamentos de Sri Ramana leva a crer que o sentido da parte final da frase é de que o Ser Realizado não tem mais qualquer relação quer com o destino ou com o livre-arbítrio [N.T.].

[19] Bhagavan não endossava a ideia de que os acontecimentos da nossa vida dependem do exercício da nossa vontade atual ou que devêssemos tentar controlar o curso dos eventos através dela; enfatizava, por outro lado, que as "coisas acontecem como devem acontecer", e que o verdadeiro exercício da força de vontade está em manter uma mente equânime e interiorizada (voltada ao Ser ou "Eu Sou"). Um dos motivos para isso é que a vontade (e a consequente noção de livre-arbítrio que lhe é inerente) é um dos elementos principais que integram o sentimento de existência individual, de forma que reforçar sua importância ou seu poder seria fortalecer a experiência de existir enquanto ego. [N.T.]

Capítulo 12

O Sábio

Um Sábio (*Jñānī*) alcançou a libertação ainda em vida, aqui e agora. É irrelevante para ele como, onde e quando vai deixar o corpo. Alguns Sábios podem aparentar sofrer, outros podem estar em *samādhi* (êxtase) e outros ainda podem sumir de vista antes de morrer. Mas isso não faz qualquer diferença para sua Sabedoria (*Jñāna*). Tal sofrimento é só aparente, parecendo real para quem vê, mas não é sentido pelo Sábio, haja vista que ele já transcendeu a falsa identificação do Eu com o corpo.

O Sábio não pensa que ele é o corpo. Ele nem mesmo vê o corpo. Ele vê apenas o Ser no corpo. Se o corpo não está lá, mas apenas o Ser, a questão do seu desaparecimento sob qualquer forma não se apresenta.

Nos livros é mencionado que a maior doença que temos é o corpo, a doença do nascimento, e se tomamos remédio para fortalecer e prolongar a vida, isso é como um homem que toma remédio para perpetuar a doença[20]. Um verso sânscrito no Canto XI do *Bhagavad-Gītā* diz que o corpo não é real (isto é, não é permanente). Quer esteja o corpo em repouso ou em movimento, quer por força do *prārabdha* continue vivendo ou não, o *Siddha* (Ser perfeito) Realizado não está consciente disso, assim como um homem embriagado não está consciente se sua roupa está sobre o seu corpo ou não.

Os livros ilustram como um Iluminado (*Jñānī*) – que, no Estado Natural (*Sahaja*), vê sempre somente o Eu Real – pode se mover e viver no mundo como qualquer pessoa. Por exemplo, ao ver seu reflexo no espelho, você sabe que o espelho é a realidade, e que a figura nele é um mero reflexo. Será que para ver o espelho é necessário deixar de ver seu reflexo nele?

Ou então, considere a ilustração da tela. Há uma tela, na qual aparece primeiro a figura de um rei. Ele senta no trono. Então, diante dele, na mesma tela, começa uma representação envolvendo vários personagens e objetos, e o rei na tela observa o que se passa na mesma tela. O observador e o observado não passam de sombras na tela, que é a única realidade que dá suporte a esses personagens. No mundo também, o observador e o fenômeno observado constituem juntos a mente, e a mente é sustentada ou baseada no Eu Real.

Você tem a impressão de que é o corpo. Assim sendo, pensa que o Iluminado (*Jñānī*) também tem um corpo. O Iluminado

---

[20] Ao mesmo tempo Bhagavan dizia que o nascimento em um corpo humano é uma preciosa oportunidade para a Realização. [N.T.]

diz ter um corpo? Ele pode parecer a você que tem um corpo e que faz coisas com o corpo como todo mundo. Uma corda queimada ainda parece uma corda, mas já não serve como uma corda, caso você tente amarrar qualquer coisa com ela. Enquanto a pessoa identificar-se com o corpo, tudo isso fica difícil de entender.

Examine todos os diferentes estados [de consciência]. Apodere-se daquele Estado que é o único Supremo e Verdadeiro, e atue no mundo, considerando a sua vida nele como uma brincadeira. Você descobriu Aquilo que é a Realidade dentro do seu Coração por trás de todas as aparências deste mundo. Portanto, sem nunca perder Aquilo de vista, desfrute este mundo como lhe aprouver. Aparentando ter entusiasmo e satisfação, ansiedade e aversão (mas, na verdade, não tendo nada disso), aparentando começar e perseverar em certas atividades (mas, na verdade, sem possuir qualquer apego a tais esforços), engaje-se nos afazeres do mundo, sem que isso lhe cause qualquer perda. Expresse-se no mundo como lhe aprouver, libertando-se de toda sorte de amarras, mantendo a mesma equanimidade e realizando um trabalho externo de acordo com o ambiente em que você se encontra.

Aquele cuja mente não está apegada a desejo algum não faz qualquer ação, ainda que seu corpo aja. Ele é como alguém que ouve uma história com a mente alhures. Do mesmo modo, o homem com a mente cheia de desejos está realmente agindo, mesmo que seu corpo esteja imóvel. Um homem pode estar dormindo aqui com o corpo inerte e, ao mesmo tempo, estar escalando montanhas e despencando delas em seus sonhos.

Para quem está dormindo num carro [de boi] é irrelevante se o carro está em movimento ou parado, se os bois estão atrelados ou não ao veículo. Igualmente, para o *Jñānī* que dorme no carro de seu corpo físico, não importa se ele está trabalhando, em profunda meditação (*samādhi*) ou dormindo.

A afirmativa de que o Iluminado retém o *prārabdha*, enquanto livre de *sañchita karma* e *āgāmya karma*[21], é apenas uma resposta formal à pergunta do ignorante. Nenhuma das esposas de um homem escapa da viuvez quando o marido morre; da mesma forma, quando o agente se vai, todos os três *karmas* desaparecem.

A não ação do Sábio é na verdade atividade incessante. Sua característica é a atividade eterna e intensa. Sua imobilidade é como a aparente imobilidade de um pião girando rapidamente: sua velocidade extrema não é acompanhada pelos olhos, então ele parece imóvel. Isso precisa ser explicado, já que as pessoas geralmente tomam a quietude do Sábio por inércia.

---

[21] Ver nota de nº 14. p. 60.

Pérolas da Sabedoria

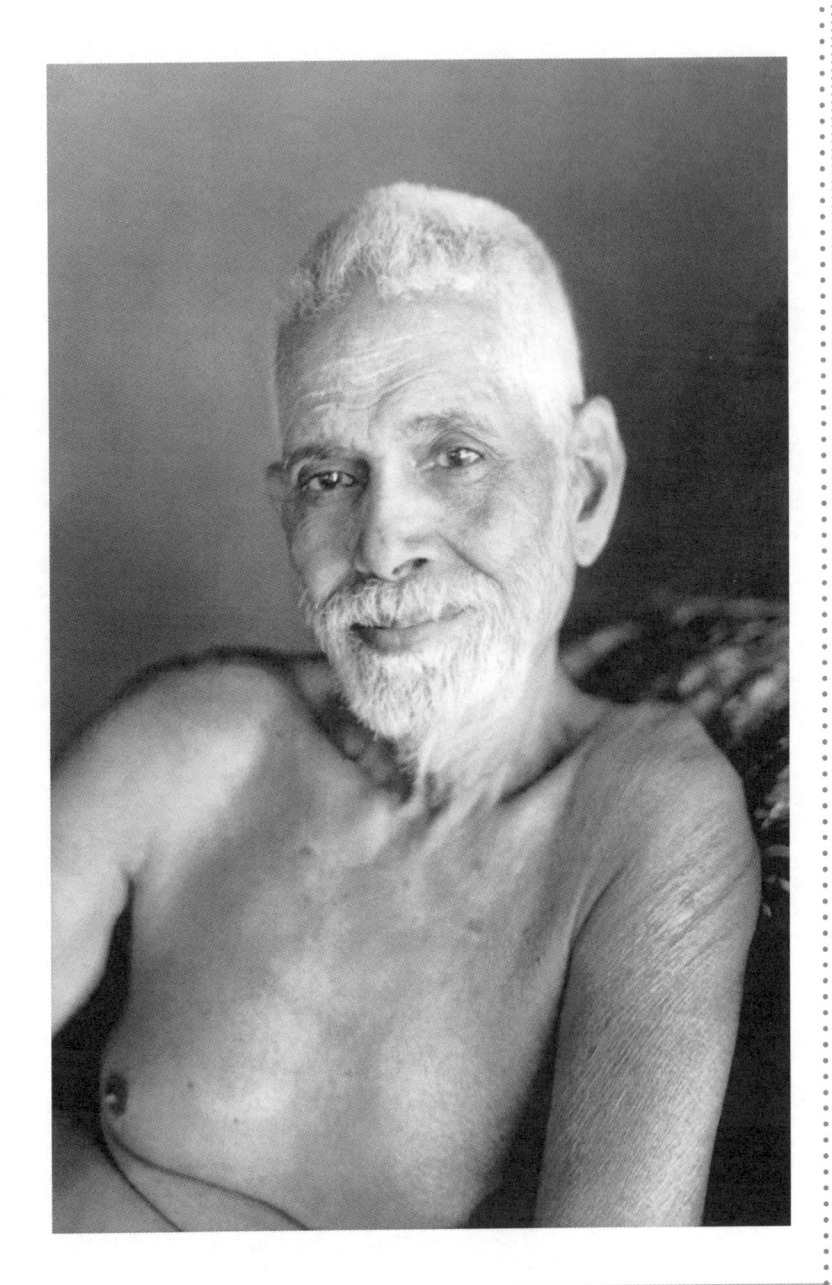

Pérolas da Sabedoria

Pérolas da Sabedoria

Pérolas da Sabedoria

Capítulo *13*

Diversos

Ninguém pode estar fora do campo do olhar da Suprema Presença. Uma vez que você identifica um corpo com Bhagavan e outro corpo consigo mesmo, você vê duas entidades distintas e começa a falar em ir embora daqui. Esteja onde estiver, você não pode me deixar[22].

****

Conta-se que Sri Ramakrishna viu a imagem de Kali ganhar vida enquanto a adorava. Essa animação foi percebida por ele, não por todos. Essa força vital devia-se a ele mesmo. Era sua própria força que se manifestava como se estivesse fora e o puxasse. Se a imagem estivesse realmente viva, teria sido vista por todos. Por outro lado, todas as coisas estão cheias de vida, esta é a verdade. Muitos

---

[22] Essa resposta foi dada a um devoto que estava saindo do *Sri Ramanasramam* e questionou o Bhagavan a respeito, mostrando-se pesaroso. Quanto à primeira frase deste parágrafo, é importante ressaltar que Sri Ramana ensinava que ter o *darshan* de um Guru (o que significa estar na presença de um Guru, vendo-o e recebendo o seu olhar) é uma grande ajuda no caminho. Daí o porquê de tal esclarecimento por parte do Sábio. [N.T]

devotos já tiveram experiência semelhante à de Sri Ramakrishna.

****

Cristo[23] é o ego e a Cruz é o corpo. Quando o ego é crucificado e perece, o que sobrevive é o Ser Absoluto [Deus]; por isso Jesus disse "Eu e o Pai somos um"[24]. Esse sobreviver glorioso é chamado de Ressurreição. Deus-Pai representa *Īshvara* [O Senhor]; Deus-Filho, o Guru; e Deus-Espírito Santo, *Ātman* [O Eu Real].

****

A Bíblia diz "Aquieta-te e saiba que Eu Sou Deus" [Sl. 46]. Diz também "Há apenas um e não há um segundo", e "O coração do sábio está à direita e o do ignorante à esquerda" [Ecl. 10,2].

****

Nenhum pensamento será em vão. Todo pensamento produzirá seu efeito, cedo ou tarde. A força do pensamento nunca é movimentada em vão.

****

---

[23] Embora o texto original utilize a palavra Cristo, o contexto dá a entender que aqui significa Jesus, ou seja, a individualidade, já que muitas vezes "Cristo" é usado como sinônimo de "Ser" ou "Natureza *Búdica*". [N.T.]
[24] João 10:30.

Alguns sustentam que o corpo pode ser imortalizado e dão receitas, medicamentos e outras coisas mais, para aperfeiçoá-lo e desafiar a morte. A escola Siddha, como é conhecida no Sul, acreditou em tal doutrina. Venkasami Rao, em Kumbakoham, deu início a uma escola que acredita na mesma coisa. Há uma sociedade em Pondicherry também. Existe também a escola que acredita na transformação do homem em super-homem pela descida do Poder Divino. Mas todas as pessoas, depois de escreverem tratados sobre a indestrutibilidade de seus corpos, de darem receitas médicas e *yóguicas* para aperfeiçoar seu corpo e mantê-lo vivo para sempre, também morrem um dia.

****

O nome de Deus e Deus não são diferentes. A Bíblia também o diz: "No princípio era o Verbo e o Verbo estava com Deus e o Verbo era Deus" [Jo. 1,1].

No nome de Rama, "Ra" representa o Eu Real e "ma", o ego. Ao repetir "Rama", "Rama", o "ma" desaparece ["Ram", "Ram"], fundindo-se no "Ra", o único a prevalecer. Neste estado, não há um esforço consciente de meditar, mas a meditação lá está porque é nossa verdadeira natureza.

****

O *yogi* pode estar decidido a despertar a *Kundalinī* (a energia serpentina), elevando-a através do *sushumnā* (canal psíquico). O Iluminado (*Jñānī*) pode não ter o mesmo objetivo, mas ambos alcançam o mesmo resultado: enviar a energia vital pelo *sushumnā*, desatando o nó que prende a consciência ao inerte (*chit-jada-granthi*)[25]. *Kundalinī* é outro nome para o Ser (*Ātman*) ou *Shakti* (Poder). Nós dizemos que ela está dentro do corpo porque nos concebemos como sendo limitados ao corpo. Mas na verdade está tanto dentro quanto fora, já que é o próprio Ser, ou *Shakti*. No caminho da Sabedoria (*jñāna mārga*), quando a mente se funde no Eu Real pela autoinquirição, o Eu Real, sua *Shakti* ou *Kundalinī*, automaticamente ascendem.

****

Se a paz de espírito é a verdadeira Libertação, como podem aqueles cujas mentes estão fixadas nos *siddhis* (poderes milagrosos) – os quais só podem ser obtidos com a ajuda e a

---

[25] Para Bhagavan, o ego ou individualidade é *chit-jada-granthi*, ou seja, a relação irreal que se dá entre a Pura Consciência e o corpo (que é inerte). O ego seria esta mistura ilusória entre os dois, ou a tendência que surge na Pura Consciência de limitar a si mesma ao corpo sobre o qual reflete. Dessa forma, pela prática da autoinquirição o praticante se concentra no puro sentimento "EU SOU" – que é o aspecto de Consciência presente no ego – fazendo-o assim, paulatinamente, perder a sua conexão com o aspecto material (o corpo), até o momento em que o próprio ego (ou a intuição/instinto "eu sou o corpo", "eu sou isso/aquilo") permaneça como apenas "eu sou", retornando e fundindo-se em sua Fonte (o Ser). Esse seria o método do *jñāna mārga* ensinado por Sri Ramana. Portanto, o Maharshi está indicando aqui que embora o praticante do Caminho da Sabedoria utilize um processo mental, interior, e o praticante da *Kundalinī Yoga* utilize um processo psicofísico, ambos chegam ao mesmo fim. [N.T.]

atividade da mente –, alcançar a Libertação, que é a cessação de toda agitação da mente?

****

Evite o desejo e a aversão. Não ocupe muito a mente com acontecimentos mundanos. Tanto quanto possível, não se envolva nos assuntos dos outros.

Doar-se aos outros é, na verdade, doar-se a si mesmo. Se conhecermos essa verdade, como poderemos passar sem nos doarmos?

****

Se o ego surge, tudo surge. Se o ego desaparece, tudo desaparece. Quanto mais formos humildes, melhor será para nós.

****

A melhor e mais poderosa iniciação (*dikshā*) é através do silêncio, tal como praticada pelo Senhor Dakshinamurti. As iniciações dadas pelo toque, olhar, etc., são de ordem inferior. O Silêncio pode transformar todos os corações.

****

Um devoto questionou Bhagavan se deveria continuar pronunciando o nome de Deus como recomendado por seu falecido Guru, ou então trocar para a prática de *Vichāra* (autoinvestigação). Em sua resposta, Bhagavan referiu-se ao artigo da [Revista] Vision de setembro de 1937, intitulado "A Filosofia do Nome Divino de acordo com o santo *Nam Dev*", onde é explicado que Deus e os Nomes de Deus são a mesma coisa.

****

O Sol ilumina o universo, enquanto que o Sol de Arunachala é tão luminoso[26], que n'Ele o universo deixa de ser visto, restando apenas seu brilho inquebrantável.

****

Não é verdade que nascer como homem é necessariamente o mais elevado, e que podemos atingir a Autorrealização só enquanto seres humanos. Mesmo um animal pode alcançar a Realização.

****

A ninguém é dado começar a reformar um país ou uma nação sem antes reformar a si mesmo. O primeiro dever de cada

---

[26] Outra tradução para o termo original "*dazzling*", e que complementa o sentido da palavra escolhida em português, seria "ofuscante". [N.T.]

homem é realizar sua Verdadeira Natureza. Se, depois disso, ele sentir vontade de reformar o país ou a nação, que o faça, sem dúvida. *Swāmī Ram Tirtha* proclamou: "Precisa-se de reformadores – mas reformadores que queiram reformar a si mesmos em primeiro lugar". Não há duas pessoas que sejam iguais ou ajam da mesma maneira neste mundo. As diferenças externas estão fadadas a persistir, por mais que tentemos eliminá-las. A única solução é que cada homem realize sua Verdadeira Natureza.

****

O *Brihadaranyaka Upanishad* diz que "Eu" (*Aham*) é o primeiro nome de Deus. A primeira letra em sânscrito é "*A*" e a última, "*Ha*"; desse modo, "*Aha*" inclui todas as coisas do princípio ao fim. A palavra *Ayam* significa "Aquele que existe", autorresplandecente e autoevidente. *Ayam, Ātman, Aham* referem-se todas à mesma coisa. Na Bíblia também, "EU SOU" é apresentado como o primeiro nome de Deus.

****

Se nos concentrarmos em qualquer pensamento e formos dormir nesse estado, logo que acordarmos o mesmo pensamento continuará em nossas mentes. Às pessoas a quem o clorofórmio é ministrado, é pedido que contem um, dois, etc. A pessoa que contou até seis, por exemplo, logo que volta da anestesia retoma a contagem dizendo sete, oito, etc.

****

Quando me deitei com os membros esticados e encenei o quadro da morte, compreendi que o corpo seria levado e cremado, e que ainda assim eu sobreviveria; então, uma certa força – chame-a de "poder *átmico*" ou algo parecido –, emergiu dentro de mim e me dominou. Com isso, eu renasci e tornei-me um homem novo. Depois disso, tornei-me indiferente a tudo, não tendo gostos nem desgostos[27].

****

O pensamento surge do silêncio; o ego, do pensamento; e do ego surge o discurso. Ora, se o discurso tem efeito, quão mais eficaz não será sua fonte?

****

O ritual de queimar cânfora em oferenda a Deus simboliza a queima da mente com a luz da iluminação. A cinza sagrada (*vibhūti*) simboliza o Ser Absoluto (*Shiva*); e *kumkum* (pó vermelho), representa *Shakti* (a Pura Consciência).

---

[27] Aqui o Maharshi faz alusão à sua experiência que resultou na Iluminação. Vide narração completa em sua biografia; parte II do presente livro. [N.T.]

****

Os *Purānas* falam desta Montanha (Arunachala) como sendo um vale, com cidades e ruas dentro dela. Também já vi coisas assim em visões. Os livros falam do Coração como sendo uma cavidade. Mas ao penetrá-l'O, vemos que é uma expansão de luz. Da mesma forma, a Montanha é de luz. As cavernas, etc., estão cobertas com esta mesma luz.

****

Os métodos prescritos para assegurar o objetivo espiritual – tais como: caridade, penitência, sacrifício, *dharma* (conduta virtuosa), *yoga*, *bhakti* (devoção) – e o próprio objetivo – descrito de vários modos como Céu, Objetivo Supremo, Paz, Verdade, Graça, Estado de Quietude, Morte sem morte, Verdadeiro Conhecimento, Renúncia, *Moksha* (Libertação) e Bem-aventurança –, nada mais são do que se libertar da obsessão de que o corpo é o Eu.

****

Desista de ver a si mesmo como esse corpo desprezível e realize sua Verdadeira Natureza que é a Bem-aventurança Eterna. Buscar conhecer a si mesmo, preocupado ainda com o bem estar do corpo, é como tentar cruzar a correnteza usando um crocodilo como balsa.

****

Desapego (*vairāgya*) é não desejar aquilo que não for o Eu Real. Permanecer enquanto Eu Real é Sabedoria (*Jñāna*). Ambos são a mesma coisa.

Parte II

A Vida de
Sri Ramana Maharshi

Prefácio

O presente ensaio foi escrito originalmente para o livro *Os Santos*; e apareceu como a Introdução Geral num trabalho sobre Bhagavan intitulado *Ramana Maharshi e sua Filosofia da Existência*. Como se percebeu que este ensaio poderia ser de interesse para os leitores em geral, ele também foi editado separadamente na forma de um livreto.

Possa Bhagavan aceitar esta oferenda!

Dia Aradhana (5 de maio de 1959),
Professor Doutor T.M.P.Mahadevan

As escrituras nos dizem que é tão difícil seguir o caminho que um sábio trilha quanto desenhar uma linha marcando o trajeto que um pássaro percorre no ar durante o voo. A maioria dos seres humanos tem que se contentar com uma lenta e árdua jornada em direção ao objetivo espiritual. Mas alguns poucos nascem como adeptos[28], num voo sem escalas para o lar comum de todos os seres – o Eu Real. Toda a humanidade tem o coração profundamente tocado quando um sábio desse porte aparece. Embora não preparada para seguir passo a passo com ele, ela se eleva em sua presença e tem uma pequena amostra da felicidade, comparada a qual os prazeres do mundo desaparecem dentro do nada. Incontáveis pessoas que foram a Tiruvannamalai durante o tempo de vida do Maharshi Sri Ramana tiveram essa experiência. Eles viram nele um sábio sem o menor traço de mundanidade, um santo de incomparável pureza, uma testemunha da eterna verdade do Vedanta. Não é sempre que um gênio espiritual da magnitude de Sri Ramana visita a Terra. Mas quando tal evento acontece, a humanidade inteira se beneficia e uma nova era de esperança se abre diante disso.

A mais ou menos 30 milhas ao sul de Madurai há uma pequena cidade chamada Tirucculi, onde há um antigo templo de *Shiva* dentro do qual dois dos maiores santos tâmeis, Sundaramurti e Manikkavacaka têm sido louvados. Nesta cidade sagrada viveu, na última parte do século XIX, um escrivão não diplomado, Sundaram Aiyar, com sua esposa Alagammal. Piedade,

---

[28] Indivíduos com alto grau de desenvolvimento espiritual. [N.T.]

devoção e caridade caracterizavam este casal ideal. Sundaram Aiyar era generoso ao extremo. Alagammal era uma perfeita esposa hindu. Do casal nasceu Venkataraman – que mais tarde seria conhecido no mundo todo como Ramana Maharshi – no dia 30 de dezembro de 1879. Era um dia importante para os hindus, o Ardradarsanam. Todo ano neste mesmo dia a imagem de *Shiva* dançando, chamada Nataraja, é levada para fora dos templos em procissão para celebrar a divina graça do Senhor, a mesma graça que o fez aparecer anteriormente na forma de santos como Gautama, Patañjali, Vyaghrapada, e Manikkavacaka. Neste ano de 1879, no dia Ardra, a imagem de Nataraja do templo de Tirucculi foi levada pelos assistentes de cerimônias, e no exato momento em que ela estava reentrando no templo, Venkataraman nasceu.

Não há nada de muito diferente sobre os primeiros anos da vida de Venkataraman. Ele cresceu como a maioria dos garotos. Frequentou uma escola primária em Tirucculi, e na cidade de Dindigul fez mais um ano de escola. Quando ele tinha 12 anos, seu pai morreu. Ele foi, então, junto com a família viver em Madurai com seu tio paterno Subbaiyar. Lá ele foi enviado para a escola Scott de ensino médio e depois para a escola Missão Americana.

Ele era um aluno indiferente, nem um pouco aplicado em seus estudos. Mas era um rapaz saudável e muito forte. Seus colegas de escola e outros companheiros tinham medo de sua força. Se algum deles tivesse certo ressentimento contra ele em determinado momento, só ousaria pregar-lhe alguma peça enquanto ele estivesse dormindo. Nessa questão do sono ele era um tanto incomum: ele não sabia de nada do que lhe acontecia durante o sono. Ele podia ser carregado para outro local ou mesmo ser sacudido sem que despertasse.

Aparentemente foi por acaso que Venkataraman ouviu sobre Arunachala quando ele estava com 16 anos de idade. Um dia um parente mais velho veio visitar a família em Madurai. O jovem perguntou-lhe de onde ele vinha. Ele respondeu de Arunachala. O nome Arunachala soou como uma palavra mágica para Venkataraman, e com evidente excitação ele fez sua próxima pergunta ao velho senhor: "Ah! De Arunachala! Onde fica isso?" E a resposta foi que Tiruvannamalai era Arunachala.

Mais tarde, referindo-se a este incidente, o Sábio diz em um de seus hinos para Arunachala: *Oh, grande maravilha! Como uma montanha inerte se ergue. Para as pessoas é difícil compreender sua ação. Desde minha infância me parecia que Arunachala era algo grandioso. Mas mesmo quando eu soube, através de outro, que era o mesmo que Tiruvannamalai, eu não compreendi seu significado. Quando, acalmando minha mente, levantei-me para Ele e me aproximei, eu percebi que Ele era o Imutável.*

Logo após este incidente que atraiu a atenção de Venkataraman para Arunachala, houve um outro acontecimento que também contribuiu para direcionar a mente do jovem para profundos valores espirituais. Ele teve a chance de colocar as mãos numa cópia do *Periyapuranam* de Sekkilar, que relata as vidas de santos *saiva*. Ele ficou encantado pelo livro. Foi a primeira peça de literatura espiritual que ele leu. O exemplo dos santos o fascinou; e, no íntimo recesso de seu coração, algo respondeu favoravelmente a isso. Sem nenhuma preparação anterior aparente, uma profunda ânsia surgiu em seu ser e emulou o espírito de renúncia e devoção que constituíam a essência de uma vida santa.

A experiência espiritual que Venkataraman agora desejava ardentemente aconteceu logo, e de maneira totalmente inesperada. Era metade do ano de 1896; Venkataraman estava com 17 anos de idade. Um dia ele estava sentado sozinho no primeiro piso da casa de seu tio. Ele estava saudável como sempre; não havia nada de errado com ele. Então um súbito e inconfundível medo da morte tomou conta dele. Ele sentiu que ia morrer. Porque esse sentimento surgiu ele não sabia. A sensação de morte iminente, entretanto, não o abalou. Ele calmamente pensou sobre o que devia fazer. E disse a si mesmo: *"Agora, a morte veio. O que isso significa? O que é que está morrendo? Este corpo morre"*. Imediatamente depois disso ele deitou, estendeu braços e pernas, mantendo-os rijos como se tivesse realmente morrido. Ele prendeu a respiração e manteve os lábios firmemente fechados, de modo que a aparência externa de seu corpo assemelhava-se à de um cadáver. Agora, o que aconteceria? E ele pensou: *Bem, este corpo está morto agora. Ele será carregado até a pira funerária e lá será queimado e reduzido a cinzas. Mas, com a morte deste corpo, eu estou morto? O corpo* sou eu? Este corpo está silencioso e inerte. Mas eu sinto toda a força de minha existência e até mesmo a voz do 'Eu' dentro de mim, separado dele (o corpo). Então, eu sou o Espírito que transcende o corpo. O corpo morre mas o Espírito que o transcende não pode ser tocado pela morte. Isso significa que eu sou o Espírito imortal.

Como Bhagavan Sri Ramana narrou esta experiência mais tarde para benefício de seus devotos, pareceu como se isso tivesse sido um processo de racionalização. Mas ele explicou que não foi assim. A Realização aconteceu para ele na forma de um súbito *insight*. Ele percebeu a verdade diretamente. O "Eu" era algo verdadeiramente real, a única coisa real. O medo da morte desapareceu para sempre. A partir de então, o "Ser" continuou como a nota fundamental que sustenta e combina com todas as outras notas. Assim o jovem Venkataraman descobriu-se no mais alto grau da experiência espiritual sem nenhuma necessidade de longa e árdua prática (*sādhana*). O ego foi perdido na explosão da autoconsciência. Repentinamente, o garoto que se chamava Venkataraman floresceu, transformando-se num sábio e santo.

Houve uma completa mudança na vida do jovem sábio. As coisas que antes eram importantes para ele perderam totalmente seu valor. Estudos, amigos, relacionamentos – nada disso tinha agora qualquer significado. Ele tornou-se completamente indiferente ao que o rodeava. Humildade, mansidão, não resistência e outras virtudes, tornaram-se seu adorno. Ele evitava companhias, pois preferia sentar-se só, totalmente absorvido em concentração no Eu Real. Ele ia todos os dias ao templo Minaksi, e experimentava uma profunda exaltação diante das imagens de deuses e santos. Lágrimas fluíam de seus olhos profusamente. A nova visão estava constantemente com ele; sua vida foi completamente transfigurada.

O irmão mais velho de Venkataraman observou a grande mudança que tinha acontecido com ele. Em várias ocasiões ele censurou o irmão por sua indiferença a tudo e pelo comportamento como de um *yogi*. Seis semanas depois da grande experiência, a crise voltou. Era 29 de agosto de 1896. O professor de inglês de Venkataraman, como punição por sua indiferença aos estudos, pediu que ele copiasse três vezes uma lição do livro de gramática. Ele copiou-a duas vezes, mas parou aí, percebendo a completa futilidade dessa tarefa. Colocando o livro e os papéis de lado, ele sentou-se, fechou os olhos voltando-se para o interior em meditação. O irmão mais velho, que estava observando o comportamento dele todo o tempo, disse: "Que utilidade tem tudo isso para alguém como você?" Isso foi uma reprimenda aos estranhos modos de comportamento de Venkataraman, inclusive sua negligência total aos estudos. Venkataraman não deu nenhuma resposta. E admitiu a ele mesmo que não tinha mais intenção nenhuma de estudar e de ser novamente seu "velho eu".

Então decidiu deixar sua casa, lembrando-se de que havia um lugar para ir: Tiruvannamalai. Mas se ele contasse sua intenção para a família, eles certamente não o deixariam ir. Então ele teve que usar de uma artimanha. Ele disse a seu irmão que iria até a escola para assistir a uma aula especial naquela tarde. O irmão então lhe pediu que pagasse uma taxa de cinco rúpias na escola onde ele estudava. Venkataraman desceu as escadas para o andar térreo da casa; sua tia serviu-lhe uma refeição e deu-lhe as cinco rúpias. Ele apanhou um Atlas que havia na casa e observou que a estação de trem mais próxima a Tiruvannamalai mencionada ali era Tindivanam. Porém, na verdade havia sido aberta uma linha direta para Tiruvannamalai. O Atlas que ele tinha consultado estava desatualizado, e essa nova linha não estava marcada lá. Calculando que três rúpias seriam suficientes para a viagem, Venkataraman deixou a diferença junto com uma carta num lugar da casa onde seu irmão podia encontrá-la facilmente, e partiu para Tiruvannamalai. Ele escreveu na carta o seguinte: *Eu parto em busca de meu Pai e de acordo com sua vontade. Este [significando sua pessoa] embarcou sozinho numa jornada virtuosa. Portanto, ninguém precisa sofrer com isso. E nenhum dinheiro deve ser gasto na busca deste [o corpo]. Sua taxa da escola não foi paga. Aqui estão duas rúpias.*

    Havia uma maldição na família de Venkataraman – na verdade, era uma bênção – que alguém de cada geração se tornaria um renunciante. Esta maldição foi feita por um renunciante errante que, conta-se, mendigava esmolas na casa de um dos antepassados de Venkataraman e foi recusado. Um tio paterno de Sundaram Aiyar se tornou um *sannyasin*; assim como também seu irmão mais velho. Agora, era a vez de Venkataraman, embora ninguém pudesse ter previsto que a maldição trabalharia desta forma. O desapego encontrou sua morada no coração de Venkataraman e ele se tornou um *parivrajaka* (renunciante errante).

Foi uma jornada épica que Venkataraman fez de Madurai até Tiruvannamalai. À tarde ele deixou a casa de seu tio; caminhou até a estação de trem que ficava a meia milha de casa. Para sua sorte, o trem estava atrasado naquele dia, senão ele o teria perdido. Olhando a tabela de preços das passagens, ele viu que a passagem de 3ª classe para Tindivanam custava duas rúpias e treze annas. Ele comprou o bilhete e guardou o troco de três annas. Se ele soubesse que havia uma linha direta para Tiruvannamalai, teria constatado que o preço deste bilhete era exatamente três rúpias.

Quando o trem chegou, ele embarcou silenciosamente e sentou em seu lugar. Um Maulvi que também estava viajando puxou conversa com Venkataraman, e disse-lhe que havia uma linha de trem direta para Tiruvannamalai e não era necessário ir até Tindivanam, e que ele poderia trocar de trem em Villupuram. Essa se revelou uma informação muito importante. Era hora do crepúsculo quando o trem chegou a Tiruccirappalli. Venkataraman estava com fome; ele comprou duas peras por meio anna; e estranhamente, após a primeira mordida, sua fome desapareceu. Mais ou menos às três horas da manhã o trem chegou a Villupuram. Venkataraman desembarcou com a intenção de completar o restante do trajeto até Tiruvannamalai a pé.

Ao romper do dia ele foi até a cidade procurar por alguma sinalização para Tiruvannamalai. Ele viu uma indicação onde se lia "Mambalappattu", mas não sabia que Mambalappattu ficava nos arredores de Tiruvannamalai. Antes de tentar descobrir qual estrada tomar, decidiu se refrescar, pois estava cansado e com fome. Ele foi até um hotel próximo e pediu algo para comer, tendo que esperar até a tarde para que a comida ficasse pronta. Depois de terminar a refeição, ele deu duas annas em pagamento. O proprietário do hotel perguntou-lhe quanto dinheiro ele tinha; ao saber que Venkataraman tinha só 2,5 annas, não aceitou pagamento. Foi também este homem que lhe disse que Mambalappattu era perto de Tiruvannamalai. Venkataraman voltou para a estação de Viluppuram e comprou um bilhete para Mambalappattu, que custou exatamente o que ele tinha em dinheiro.

À tarde, Venkataraman chegou a Mambalappattu de trem. Da estação ele foi a pé para Tiruvannamalai. Após caminhar dez milhas, já era tarde da noite. Havia perto o templo de Arayaninallur, erguido sobre uma grande rocha. Ele esperou até que as portas fossem abertas, entrou e sentou na sala principal. Lá ele teve uma visão – a visão de uma luz brilhante envolvendo todo o lugar. Não era uma luz física. Ela brilhou por algum tempo e então desapareceu. Venkataraman continuou sentado num estado de profunda meditação, até ser despertado pelos sacerdotes do templo, que estavam esperando para fechar as portas e ir para outro templo não muito distante, em Kilur, para outro serviço. Venkataraman seguiu-os, e enquanto estava dentro do templo ele entrou em *samādhi* novamente. Depois de terminarem suas obrigações, os sacerdotes o acordaram, mas não lhe deram nenhuma comida. O músico do templo, que tinha visto o comportamento rude dos sacerdotes, implorou para que eles compartilhassem a comida do templo com o estranho rapaz. Quando Venkataraman pediu água para beber, foi orientado a ir à casa do Sastri, que era mais ou menos perto. Enquanto estava lá, ele desmaiou e caiu no chão. Poucos minutos depois, ele recobrou a consciência e viu uma pequena multidão olhando-o curiosamente. Então ele bebeu a água, comeu um pouco, deitou-se e dormiu, só acordando na manhã seguinte.

Era 31 de agosto de 1896, o dia Gokulastami, quando se comemora o dia do nascimento de *Krishna*. Venkataraman retomou sua jornada e caminhou por um bom tempo. Então se sentiu cansado e com fome. Ele queria comer alguma coisa primeiro, e após, seguir para Tiruvannamalai de trem, se possível. Um pensamento então lhe ocorreu: poderia dispor de um par de brincos de ouro que estava usando para levantar o dinheiro que era necessário. Mas como fazer isso?

Ele parou do lado de fora da casa que pertencia ao Muthukrishna Bhagavatar e pediu comida. Foi então conduzido até a dona da casa, que ficou encantada em receber o jovem *sādhu* e alimentou-o no significativo dia do nascimento de *Krishna*. Depois da refeição, Venkataraman disse a Bhagavatar que queria empenhar seus brincos por quatro rúpias a fim de poder completar sua peregrinação. Os brincos estavam avaliados em mais ou menos 20 rúpias, mas Venkataraman não precisava de muito dinheiro. O Bhagavatar examinou os brincos, deu o dinheiro a Venkataraman, anotou o endereço do jovem, escreveu seu próprio endereço num pedaço de papel para ele, dizendo-lhe que ele poderia resgatá-los a qualquer momento.

Venkataraman almoçou na casa do Bhagavatar. A piedosa senhora deu-lhe um pacote de doces que ela tinha preparado para Gokulastami. Após deixar o casal, Venkataraman rasgou em pedacinhos o endereço que o Bhagavatar lhe tinha dado, pois não tinha a menor intenção de resgatar os brincos – e foi para a estação de trem. Como não havia trem até a manhã seguinte, ele passou a noite lá. Na manhã do dia 1º de setembro de 1896, ele embarcou no trem para Tiruvannamalai. A viagem levou pouco tempo. Descendo do trem, ele imediatamente precipitou-se para o templo de Arunachaleswara. Todos os portões estavam abertos – mesmo as portas do santuário interno. O templo estava completamente vazio. Venkataraman entrou no *sanctum sanctorum*, e quando ele ficou diante de seu Pai Arunacalesvara, experimentou um grande êxtase e indescritível alegria. A jornada épica tinha terminado. O navio tinha chegado salvo ao porto.

O resto do que se considera a vida de Ramana – assim o chamaremos daqui para frente – foi passada em Tiruvannamalai. Ramana não foi formalmente iniciado como *sannyasin*.

Como ele veio de fora do templo e estava caminhando pelas ruas da cidade, alguém o chamou e perguntou se ele não gostaria de cortar o cabelo. Ele consentiu prontamente, e foi conduzido ao Ayyankulam (um reservatório artificial de água) onde um barbeiro depilou sua cabeça. Então ele ficou de pé nos degraus do tanque e jogou fora na água o restante do seu dinheiro; e também se desfez do pacote de doces dado pela esposa do Bhagavatar. O próximo passo foi descartar-se das vestes sagradas que usava. Ao retornar para o templo, ele se perguntava por que deveria dar ao seu corpo a luxúria de um banho, quando, neste exato momento, houve um forte aguaceiro que o encharcou todo.

O primeiro lugar onde ele residiu em Tiruvannamalai foi o grande templo. Por umas poucas semanas ele permaneceu na sala dos mil pilares, mas era frequentemente perturbado pelos moleques que atiravam pedras enquanto ele estava em meditação. Ele se mudou para cantos escuros e até para uma galeria subterrânea conhecida como Patala Lingam. Não sendo perturbado, ele costumava ficar vários dias em profunda absorção. Permanecia em *samādhi* sem se mover, não estando consciente nem mesmo das mordidas de insetos e outros pequenos animais. Mas os garotos logo descobriram seu retiro e elegeram como seu passatempo jogar porcarias no jovem *swāmī*.

Naquela época havia em Tiruvannamalai um velho *swāmī* chamado Seshadri. Ele era considerado, por aqueles que não o conheciam bem, como um homem louco. De vez em quando ele montava guarda para o jovem *swāmī*, e expulsava os moleques do templo. Finalmente ele foi removido do buraco por devotos – sem estar consciente disso – e colocado nos arredores de um santuário de Subrahmanya. Desde então, sempre havia um ou outro para cuidar de Ramana. O local de residência tinha que ser trocado com frequência. Jardins, bosques, santuários – estes eram os lugares escolhidos para guardar o *swāmī*. O *swāmī* nunca falava. Não que ele tivesse feito voto de silêncio; ele simplesmente não tinha inclinação para falar. Às vezes textos como *Yoga Vasishta* e *Kaivalya Navaneeta* eram lidos para ele.

Menos de seis meses depois de sua chegada a Tiruvannamalai, Ramana mudou sua residência para um santuário chamado Gurumurtam, atendendo ao pedido de seu guardião (do santuário), um *tambiramsvami*. Os dias passavam e a fama de Ramana se espalhava, aumentando a cada dia o número de peregrinos e curiosos que vinham para vê-lo. Depois de permanecer um ano em Gurumurtam, o *swāmī* – no local ele era conhecido como *Brahmana-swāmī* – se mudou para as proximidades de um pomar de mangas. E foi ali que um de seus tios, Nelliyappa Aiyar, localizou-o. Nelliyappa Aiyar era um escrivão de segundo grau em Manamadurai. Tendo ouvido de um amigo que Venkataraman era um reverenciado *sādhu* em Tiruvannamalai, ele foi até lá para vê-lo. Ele fez de tudo para levar Ramana junto com ele para Manamadurai. Mas o jovem sábio não respondia; ele não mostrou nenhum sinal de interesse pelo visitante. Então, Nelliyappa Aiyar voltou desapontado para Manamadurai, e transmitiu as notícias para Alagammal, mãe de Ramana. A mãe foi a Tiruvannamalai acompanhada do filho mais velho. Ramana estava vivendo em Pavalakkunru, um dos pontos mais ao leste de Arunachala. Com lágrimas nos olhos, Alagammal implorou a Ramana que ele voltasse para casa com ela. Mas, para o sábio, não havia volta. Nada o moveria – nem mesmo os apelos desesperados e o choro de sua mãe. Ele permaneceu em silêncio sem responder nada. Um devoto que observou o tremendo esforço da mãe por vários dias, pediu a Ramana que ele pelo menos escrevesse algumas palavras para ela. Então o sábio escreveu num pedaço de papel as seguintes palavras impessoais: *O destino da alma é determinado segundo seu* prārabdha-karma. *O que não deve acontecer, não acontecerá, não importa o quanto se deseje. O que deve acontecer, acontecerá, não importa tudo o que se faça para evitar. Isso é certo. Portanto, o melhor caminho é permanecer em silêncio.*

Desapontada e com o coração pesado, a mãe voltou para Manamadurai. Algum tempo depois deste acontecimento, Ramana subiu a montanha Arunachala e começou a viver numa caverna chamada Virupaksa, onde um santo tinha morado e sido enterrado lá. Aqui também as multidões vinham, e entre eles havia uns poucos verdadeiros buscadores. Estes últimos costumavam colocar-lhe questões sobre a experiência espiritual ou traziam livros sagrados com o objetivo de esclarecer alguns pontos. Ramana algumas vezes escrevia suas respostas e explicações. Um dos livros que foi trazido a ele durante este período foi o *Viveka-Chudamani*, de Shankara, [Editora Teosófica, 1992.] que mais tarde ele traduziu para o tâmil. Havia também pessoas muito simples e de pouca cultura que o procuravam para consolo e orientação espiritual. Uma delas era Echammal, que tinha perdido seu marido, filho e filha, e estava inconsolável até ser guiada pelo destino à presença de Ramana. Ela passou a visitar o *swāmī* todos os dias, e atribuiu a si mesma a tarefa de levar comida para ele e para todos aqueles que viviam com ele.

Em 1903, veio para Tiruvannamalai um grande erudito e estudioso de sânscrito, Ganapati Sastri, conhecido também como Ganapati Muni por causa da vida austera que levava. Ele tinha o título de *kavyakanta* (aquele que tem poesia na garganta), e seus discípulos chamavam-no *nayana* (pai). Ele era um especialista no culto à Mãe Divina. Ele visitou Ramana na caverna Virupaksa algumas vezes. Uma vez, em 1907, ele estava assolado por dúvidas relativas às suas práticas espirituais. Ele subiu a montanha, viu Ramana sentado sozinho na caverna, e expressou-se assim: "Tudo o que há para ser lido, eu já li; até mesmo o Vedanta Sastra, eu estudei do início ao fim; eu fiz *japa* até a exaustão; e mesmo assim eu ainda não compreendi o significado de *tapas*. Por isso, eu busco refúgio a seus pés. Peço que me ilumine sobre a natureza de *tapas*". Ramana respondeu, agora falando: *Se você perceber de onde a noção de "EU" surge, a mente ficará absorvida lá; isto é* tapas. *Quando um* mantra *é repetido, se você observar de onde o som do* mantra *surge, a mente ficará absorvida lá; isto é* tapas. Para o erudito, isso foi uma verdadeira revelação; ele sentiu a graça do sábio envolvendo-o. Foi ele que proclamou Ramana como Maharshi e Bhagavan. Ele compôs hinos em louvor ao sábio, e também escreveu o livro *Sri Ramana-Gita* explicando seus ensinamentos.

Alagammal, mãe de Ramana, depois de voltar para Manamadurai, perdeu seu filho mais velho. Dois anos mais tarde, seu filho mais novo, Nagasundaram, fez uma breve visita a Tiruvannamalai. Ela mesma esteve lá uma vez ao retornar de uma peregrinação a Varanasi, e outra vez durante uma visita a Tirupati. Nesta ocasião ela ficou doente e sofreu por muitas semanas com os sintomas da febre tifoide. Ramana mostrou grande solicitude cuidando dela e ajudando-a a recuperar a saúde. Ele até mesmo compôs um hino em tâmil suplicando ao Senhor Arunachala que curasse sua doença. O primeiro verso do hino diz assim: *Oh, Medicina na forma de uma montanha que surgiu para curar a doença de todos os nascimentos que vêm em sucessão como ondas! Oh Senhor! É teu dever salvar minha mãe que considera teus pés como seu refúgio, curando sua febre.* Ele também orou para que fosse concedida à sua mãe a visão divina e o desapego de toda mundanidade. É desnecessário dizer que ambas as orações foram atendidas. Alagammal se recuperou e voltou para Manamadurai. Mas não muito tempo depois ela retornou a Tiruvannamalai; e um pouco mais tarde, seu filho mais novo, Nagasundaram, fez o mesmo após ter perdido sua esposa.

Foi no começo de 1916 que a mãe veio, disposta a passar

o resto de sua vida com Ramana. Logo após sua chegada, Ramana mudou-se de Virupaksa para Skandasraman, um pouco mais acima na montanha. A mãe recebeu treinamento intenso na prática espiritual. Ela tomou o manto ocre, e ficou à frente da cozinha do *ashram*. Nagasundaram também se tornou um *sannyasin*, assumindo o nome Niranjanananda. Entre os devotos de Ramana ele se tornou conhecido como chinnaswami (o mais jovem *swāmī*).

Em 1920, já com a saúde enfraquecida, a mãe teve várias doenças próprias da idade avançada. Ramana atendia-a com cuidado e afeição, e passava noites sem dormir ao seu lado. Ela morreu em 19 de maio de 1922, no dia Bahulanavami, no mês de Vaisakha. O corpo foi levado ao pé da montanha para ser enterrado. O local escolhido foi o ponto mais ao sul, entre o reservatório de água Palitirtham e Dakshinamurti Mantapam. Enquanto transcorriam as cerimônias, Ramana permaneceu em silêncio. Niranjanananda estabeleceu sua residência perto da tumba. Ramana, que continuou morando em Skandasramam, visitava a tumba todos os dias. Depois de seis meses, ele resolveu permanecer ali, dizendo que não foi por sua própria vontade, mas em obediência à Vontade Divina. Assim foi fundado o Ramanasramam. Um templo foi erguido sobre a tumba e consagrado em 1949. Com o passar dos anos, o *ashram* foi crescendo, e pessoas não só da Índia como de todos os continentes do mundo vinham ver o sábio e receber orientação em sua busca espiritual.

O primeiro devoto ocidental de Ramana foi F.H. Humphrys. Ele veio para a Índia, em 1911, assumir um cargo no Departamento de Polícia de Vellore. Interessado em Ocultismo, ele estava em busca de um Mahatma. Ele foi apresentado a Ganapati Sastri pelo seu professor de télugo; e Sastri levou-o até Ramana. O inglês ficou muito impressionado. Ele escreveu sobre sua primeira visita ao sábio na Gazeta Psíquica Internacional: *Chegando à caverna nós nos colocamos diante dele, aos seus pés, sem dizer nada. Ficamos assim por um longo tempo e eu me senti alçado além de mim mesmo. Por meia hora eu fiquei olhando dentro dos olhos do Maharshi, os quais nunca alteravam sua expressão de profunda contemplação... O Maharshi é um homem além da descrição em sua expressão de dignidade, gentileza, autocontrole e sereno poder de persuasão.*

As ideias de Humphrys relativas à espiritualidade mudaram para melhor como resultado do contato com Ramana. Ele repetiu suas visitas ao sábio e gravou suas impressões em cartas para um amigo na Inglaterra, as quais foram publicadas na Gazeta mencionada acima. Em uma destas cartas, ele escreveu: "Você não pode imaginar nada mais belo que seu sorriso". E novamente: "É estranho observar a mudança que ocorre em alguém que tenha estado em sua presença!".

Não eram somente boas pessoas que iam ao *ashram*. Às vezes, maus elementos também apareciam – mesmo maus *sādhus*. Por duas vezes, no ano de 1924, ladrões invadiram o *ashram* para saquear. Na segunda dessas ocasiões, eles até bateram no

Maharshi, porque perceberam que não havia muito que levar. Quando um dos devotos pediu permissão para punir os ladrões, ele proibiu-o, dizendo: *Eles têm seu próprio dharma (papel), nós temos o nosso. A nós cabe sermos tolerantes e pacientes (abster-nos). Não devemos interferir com eles.* Quando um dos ladrões acertou-lhe um golpe na coxa esquerda, ele disse: *Se você ainda não está satisfeito, você pode bater na outra perna também.* Depois que os ladrões saíram, um devoto perguntou-lhe sobre a agressão. O sábio respondeu: *Eu também recebi algum* pūjā, fazendo um trocadilho com a palavra *pūjā*, que significa veneração, mas que também é usada significando golpe.

A aura de não agressão que permeava o sábio e seu ambiente fazia até animais e pássaros tornarem-se seus amigos, e ele mostrava pelos animais a mesma consideração que tinha pelas pessoas. Quando ele se referia a algum deles, usava os pronomes como se usa para pessoas e não como normalmente usado para animais ou coisas[29]. Pássaros e esquilos construíam seus ninhos em volta dele. Vacas, cachorros e macacos encontravam asilo no *ashram*. Todos eles se comportavam de uma maneira inteligente – especialmente a vaca Lakshmi. Ele conhecia seus modos de comportamento intimamente e providenciava para que eles fossem bem cuidados e bem alimentados. Quando um deles morria, o corpo era enterrado em uma cerimônia apropriada. A vida no *ashram* fluía muito tranquilamente. O tempo

---

[29] Em português a diferença não é muito marcante, mas no tâmil é, assim como no inglês, que usa *"she"* e *"he"* para pessoas e *"it"* para animais ou coisas. [N.T.]

passava e mais visitantes vinham – alguns para uma curta estadia e outros para longos períodos. O *ashram* crescia, e novas estruturas e departamentos foram acrescentados – um estábulo para o gado, uma escola para o estudo dos Vedas, um departamento para publicações, e o templo da Mãe onde aconteciam cerimônias regularmente.

Ramana passava a maior parte do tempo no salão que tinha sido construído com o propósito de permitir que ele testemunhasse tudo o que acontecia ao seu redor. Não que ele não fosse ativo. Ele costumava costurar as folhas que serviam como pratos, temperava os vegetais, lia artigos que eram enviados pela imprensa, olhava jornais e livros, sugeria linhas de resposta para as cartas recebidas, etc. Mas era muito evidente que ele estava à parte de tudo isso. Havia numerosos convites para viagens. Mas ele nunca saiu de Tiruvannamalai, e nos últimos anos nem sequer saiu do *ashram*. Na maior parte do tempo, todos os dias, as pessoas vinham e ficavam diante dele; e ele permanecia quase sempre em silêncio. Às vezes, alguns dos devotos faziam perguntas; e às vezes ele respondia. Era uma grande experiência sentar diante dele e fitar seus olhos radiantes. Muitos relataram esta experiência dizendo que era como se o tempo parasse e que sentiam uma paz indescritível.

O jubileu de ouro (50 anos) da estadia de Ramana em Tiruvannamalai foi celebrado em 1946. Em 1947, sua saúde começou a declinar. Ele ainda não tinha 70 anos, mas parecia muito mais velho do que isso. No final de 1948, um pequeno nódulo apareceu logo abaixo do cotovelo de seu braço esquerdo. Como ele estava crescendo rapidamente, o médico-chefe do *ashram* recomendou uma cirurgia para extirpá-lo. Mas no período de um mês ele reapareceu. Cirurgiões de Madras[30] foram chamados, e o operaram novamente. A ferida não cicatrizava, e o tumor voltou mais uma vez. Num exame adicional, foi diagnosticado que o tumor era do tipo sarcoma. Os médicos então sugeriram que o braço fosse amputado acima da parte afetada. Ramana retrucou com um sorriso: *Não há necessidade de alarme. O próprio corpo é uma doença. Deixe-o ter seu fim de maneira natural. Por que mutilá-lo? Basta tratar a parte afetada.* Mais duas operações foram feitas, mas o tumor sempre voltava.

A medicina natural e nativa foi tentada, e a homeopatia também. Mas a doença não cedia aos tratamentos. O sábio permanecia despreocupado e estava completamente indiferente ao sofrimento. Ele ficava como um espectador observando a doença devastar o corpo. Mas seus olhos continuavam com o mesmo brilho de sempre; e sua graça fluía em direção a todos os seres.

Multidões vinham em grande número. Ramana insistia para que eles tivessem seu *darshan*. Os devotos ansiavam para que o sábio curasse o próprio corpo utilizando-se de seus poderes sobrenaturais. Alguns deles tinham tido o benefício destes poderes que eles atribuíam a Ramana. Ramana tinha muita compaixão por aqueles que se afligiam sobre o sofrimento, e ele procurava confortá-los, lembrando-os da verdade de que Bha-

---

[30] Atual cidade de Chennai, capital do estado indiano de Tâmil Nadu. [N.T.]

gavan não era o corpo: *Eles tomam este corpo pelo Bhagavan e atribuem sofrimento a ele. Que pena!* Eles estão desconsolados porque Bhagavan vai deixá-los e vai embora – mas para onde ele pode ir, e como?

O fim veio em 14 de abril de 1950. Naquela noite o sábio deu *darshan* aos devotos que vieram. Todos os que estavam presentes no *ashram* sabiam que o fim estava próximo. Eles ficaram cantando o hino que Ramana compôs para Arunachala, com o refrão *Arunachala-Shiva*. O sábio pediu a seus assistentes que o sentassem. Ele abriu seus olhos luminosos e graciosos por um breve instante; havia um sorriso; uma lágrima de beatitude escorreu do canto externo de seus olhos; e, às 8h47min, a respiração parou. Não houve luta, nem espasmo, nenhum dos sinais da morte. Naquele exato instante, um cometa atravessou o céu vagarosamente, alcançou o cume da montanha sagrada, Arunachala, e desapareceu atrás dela.

Ramana Maharshi raramente escrevia; e o pouco que ele escreveu em prosa e verso foi escrito com a intenção de atender a pedidos específicos de seus devotos. Ele mesmo declarou uma vez: *Nunca me ocorreu escrever um livro ou compor poemas. Todos os poemas que fiz foram a pedido de alguém ou para algum evento particular.* O mais importante dos seus trabalhos é *Os 40 versos sobre a existência*. No Upadesa Saram, que é também um poema, a quintessência do *Vedānta* é apontada. O sábio compôs cinco hinos para Arunachala. Alguns dos trabalhos de Shankara como o *Viveka-Chudamani* e *Ātmā-bodha* foram traduzidos para o tâmil por ele. A maior parte do que ele escreveu foi em tâmil. Mas ele também escreveu em sânscrito, télugo e malayalam.

A filosofia de Sri Ramana – que é a mesma do *Advaita Vedānta* – tem como meta a Autorrealização. O ponto central ensinado nesta filosofia é a inquirição dentro da natureza do Eu Real, o conteúdo da noção de "Eu". Comumente a esfera do "eu" varia e cobre uma multiplicidade de fatores. Mas estes fatores não são realmente o "Eu". Por exemplo, nós nos referimos ao corpo físico como "Eu"; dizemos "Eu sou gordo", "Eu sou magro", etc. Mas não é difícil perceber que isso está incorreto. O corpo por si mesmo não pode dizer "Eu", porque ele é inerte. Até mesmo um homem ignorante entende a implicação da expressão "meu corpo". Entretanto, não é fácil eliminar a identidade enganosa do "Eu" com o ego (*ahamkāra*). Isso porque a mente inquiridora é o ego, e a fim de remover a identificação errônea, ela tem que dar a sentença de morte a si mesma. Isso não é uma coisa simples. A oferenda do ego no fogo da sabedoria é a mais elevada forma de sacrifício.

Separar o Eu Real do ego não é fácil. Mas não é impossível. Todos nós podemos ter esse discernimento, se refletirmos sobre o que acontece enquanto dormimos. No sono profundo, "nós somos", embora o ego esteja ausente; o ego não funciona lá. Mas ainda existe o "Eu" que testemunha a ausência do ego e dos objetos. Se o "Eu" não estivesse lá, seria impossível, após despertar, dizer sobre sua experiência no sono: "Eu dormi maravilhosamente bem. Eu não vi nada". Temos, então, dois "eus" – "o pseudoeu", que é o ego e o verdadeiro "Eu" que é o Eu Real. A identificação do "Eu" com o ego é tão forte que nós raramente o vemos sem sua máscara. Além disso, todas as nossas experiências giram em torno do ego. Com o surgimento do ego no estado de vigília, o mundo inteiro surge. Por isso o ego parece tão importante e impenetrável. Mas na verdade, ele é um castelo feito de cartas. Uma vez iniciado o processo de inquirição, ele será desintegrado e dissolvido. Para empreender essa inquirição, deve-se ter uma mente aguda e penetrante – mais penetrante do que aquela que é necessária para desvendar os mistérios da matéria. É por meio de um intelecto bem direcionado que a Verdade será vista (*drsyate tu agraya buddhya*). E a verdade é que até mesmo o intelecto terá que ser dissolvido antes que a sabedoria possa se manifestar. Mas até que se chegue a esse ponto, a autoinquirição tem que ser feita – e feita incansavelmente. Sabedoria (*Jñāna*), certamente, não é para os indolentes!

A inquirição "Quem sou eu?" não deve ser considerada como um esforço mental para se compreender a natureza da mente. Seu principal propósito é "focar toda a mente em sua Fonte". A Fonte do "falso eu" é o Eu Real. O que se faz na autoinquirição é ir contra a corrente mental ao invés de se correr junto com ela, para finalmente transcender a esfera das modificações mentais. Quando o "falso eu" é seguido até sua Fonte, ele desaparece. Então o Eu Real brilha em todo o seu esplendor – e este brilho é chamado de Realização ou Libertação.

A cessação ou não cessação do corpo não tem nada a ver com a Libertação. O corpo pode continuar a existir e o mundo pode continuar a aparecer, como no caso do Maharshi. Isso não faz diferença nenhuma para aquele que realizou o Eu Real. Na verdade, não há o corpo nem o mundo para Ele; existe somente o Eu Real, a eterna Existência (*Sat*), a Consciência (*Chit*), a insuperável Beatitude (*Ānanda*). Tal experiência não é inteiramente estranha a nós. Nós a temos durante o sono profundo, onde não estamos conscientes nem do mundo externo dos objetos e nem do mundo interno dos sonhos. Mas essa experiência permanece encoberta pela ignorância. E assim nós retornamos para as fantasias dos sonhos e do mundo desperto. Não retornar para o mundo da dualidade é possível somente quando a ignorância tiver sido removida. Tornar isso possível é a meta do *Vedānta*. Inspirar-nos com esperança e ajudar mesmo o mais inferior de nós a ficar livre do desalento e da melancolia é o supremo significado de ilustres exemplos como o Maharshi.

Om Namo Bhagavate Sri Ramanaya

Parte III

"Quem sou eu?"

Quem sou eu?
Introdução da versão inglesa

Quem sou eu? é o título dado a um conjunto de perguntas e respostas a respeito da autoinquirição. As perguntas foram feitas a Sri Ramana Maharshi por Sri M. Sivaprakasam Pillai por volta do ano 1902. Sri Pillai, um bacharel em filosofia, trabalhava no Departamento da Fazenda da Coletoria de South Arcot. Durante a sua visita a Tiruvannamalai a trabalho, em 1902, ele foi à Caverna Virupaksha, na montanha Arunachala, onde encontrou o Maharshi. Ele buscou orientação espiritual e solicitou respostas às suas perguntas sobre a autoinquirição.

Como Bhagavan não estava falando na época – não devido a qualquer voto que tivesse feito, mas porque não se sentia inclinado a fazê-lo –, o sábio respondeu por escrito às perguntas que lhe foram postas. O diálogo, tal como lembrado e registrado por Sri Pillai, era composto de treze perguntas e respostas. Essa obra foi publicada pela primeira vez por Sri Pillai, em 1923 (no tâmil original), conjuntamente com alguns poemas compostos por ele expressando como a graça de Bhagavan agiu sobre ele, afastando suas dúvidas e salvando-o de uma crise em sua vida.

Quem sou eu? foi publicado várias vezes posteriormente. Em algumas edições há treze perguntas e respostas; em outras, vinte e oito. Também foi publicada uma outra versão na qual não constam as perguntas, e os ensinamentos foram reorganizados na forma de um texto corrido. A presente tradução inglesa foi feita com base nesta versão (de texto), mas arranjada no formato de vinte e oito perguntas e respostas.

Conjuntamente com o texto *Vicharasangraham* (*Autoinquirição*), *Nan Yar* (*Quem sou eu?*) constitui a primeira coleção de ensinamentos nas próprias palavras do Bhagavan. Esses são os únicos textos de autoria do Bhagavan[31], os quais claramente expõem o ensinamento central de que o caminho direto para a Liberação é a autoinquirição. A maneira exata de se fazer a autoinquirição é colocada de forma lúcida na presente obra. A mente é formada por pensamentos. O pensamento-"eu" é o primeiro a surgir. Quando a investigação "quem sou eu?" é realizada persistentemente, todos os outros pensamentos são eliminados e, finalmente, o próprio pensamento-"eu" desaparece, deixando apenas o Supremo Ser não dual. Com isso termina a falsa identificação do Eu Real com os fenômenos (que são o "não Eu"), tal como o complexo corpo-mente, e assim há ilu-

---

[31] Vale esclarecer, nesse sentido, que todo o restante do material que se tem de seus ensinamentos trata-se ou de versos compostos por ele (tal como o *Guru Vachaka Kovai*, sua maior coleção, e outros que aparecem no compêndio *The Collected Works of Ramana Maharshi*), ou então diálogos (tais como o *Talks with Ramana Maharshi*, *Day by Day*, *Sri Ramana Gita* e *Maharshi's Gospel*). Em sua grande maioria, as demais obras que contêm ensinamentos de Sri Ramana são comentários ou edições baseadas no material contido nos livros acima citados e mais alguns outros trabalhos esparsos. [N.T.]

minação, Realização (*sakshatkara*).

Claro, o processo da investigação não é fácil. Na medida em que se investiga "quem sou eu?", outros pensamentos surgirão; no entanto, não devemos nos curvar a eles ou continuá-los – em vez disso, devemos perguntar "para quem eles surgem?" Para fazer isso, devemos ser extremamente vigilantes. Por meio da investigação constante, devemos fazer com que a mente permaneça em sua Fonte, sem permitir que ela se disperse e se perca nos labirintos do pensamento criados por ela mesma. Todas as outras disciplinas devem ser vistas como práticas auxiliares, sendo úteis apenas na medida em que ajudam a mente a se aquietar e a tornar-se focada. Para a mente que se tornou hábil em concentrar-se, a autoinquirição é relativamente fácil. É por meio da investigação incessante que os pensamentos serão eliminados e o Ser – a Realidade total na qual não há nem mesmo o pensamento de "eu" – será realizado. Tal é a experiência que é referida como "Silêncio".

Esses são, em essência, os ensinamentos de Bhagavan Ramana em *Quem sou eu?*.

Professor Doutor T.M.P Mahadevan
Universidade de Madras
30 de janeiro de 1982.

Quem sou eu?

1. Quem sou eu?

Eu não sou o corpo físico, composto dos sete humores (*dhatus*). Eu não sou os cinco sentidos (audição, toque, visão, paladar e olfato), que apreendem seus objetos respectivos (som, sensação, forma, gosto e cheiro). Eu não sou os cinco órgãos da ação: fala, locomoção, manipulação, excreção e procriação, com suas respectivas funções (falar, movimentar, segurar, expelir e desfrutar). Eu não sou as cinco energias vitais (*prāna*, etc.), que executam as cinco funções de inspiração, etc. Eu não sou nem mesmo a mente que pensa. Eu não sou o estado de incognoscibilidade, no qual restam apenas as impressões residuais dos fenômenos, e no qual não há nem fenômenos nem atividade[32].

2. Se eu não sou nada disso, então quem sou eu?

Depois de negar tudo o que foi mencionado como "não isto", aquela Consciência que permanece por si só – eu sou Aquilo.

---

[32] Aqui Sri Ramana faz referência ao estado de sono profundo, no qual a consciência está inativa, mas ainda restam *vāsanas*, as quais a fazem despertar e que ocultam, de certa forma, seu estado natural de autoconsciência. [N.T.].

3. Qual é a natureza da Consciência?

A natureza da Consciência é Existência-Consciência-Beatitude.

4. Quando será obtida a realização do Eu Real?

Haverá a realização do Eu Real, que é o observador, quando o mundo, que é aquilo que é visto, for removido.

5. Haverá realização do Eu Real enquanto o mundo estiver lá (visto como real)?

Não haverá.

6. Por quê?

O observador e o objeto, quando vistos, são como a corda e a cobra. Assim como o conhecimento da corda, que é a realidade subjacente, não se revelará a não ser que o falso conhecimento da cobra ilusória desapareça, igualmente a realização do Ser, que é a realidade subjacente, não será obtida enquanto a crença de que o mundo é real não for removida.

7. Quando é que o mundo, que é o objeto visto, será removido?

Quando a mente, que é a causa de toda cognição e de toda ação, tornar-se imóvel, o mundo desaparecerá.

8. Qual é a natureza da mente?

A mente é uma força maravilhosa inerente ao Eu Real. Ela causa o surgimento de todos os pensamentos. Não há mente fora dos pensamentos. Portanto, a natureza da mente é o pensamento. Fora dos pensamentos, não existe nenhuma entidade independente chamada "mundo". No sono profundo não há pensamentos, e não há mundo; nos estados de vigília e sonho há pensamentos e há também um mundo. Assim como a aranha tece sua teia a partir de si mesma e depois a recolhe em si mesma, igualmente a mente projeta o mundo a partir de si mesma e novamente o dissolve em si mesma. Quando a mente emerge do Ser, o mundo surge. Portanto, quando o mundo parece ser real, o Ser não é visto.

Quando a pessoa investiga persistentemente a natureza da mente, a mente terminará, deixando o Ser como resíduo. Por "Ser" refere-se ao *Ātman*. A mente sempre existe dependendo de algo grosseiro; ela não existe por si só. É a mente que é chamada de "corpo sutil" ou "alma" (*jīva*).

9. Qual é o caminho da inquirição para entender a natureza da mente?

Aquilo que surge como "eu" neste corpo é a mente. Se você investigar onde no corpo surge o pensamento de "eu" em primeiro lugar, você descobrirá que ele surge no coração. Este é o local de origem da mente. Mesmo se você pensar constantemente "eu-eu" você será conduzido àquele local.

De todos os pensamentos que surgem na mente, o pensamento de "eu" é o primeiro. Apenas depois do aparecimento desse pensamento é que os outros pensamentos surgem. É somente após o surgimento do primeiro pronome pessoal que o segundo e terceiro pronomes pessoais surgem; sem o primeiro, não haveria o segundo ou terceiro.

10. Como é que se pode silenciar a mente?

Pela inquirição "quem sou eu?". O pensamento "quem sou eu?" destruirá todos os outros pensamentos e – tal como a vareta usada para avivar a pira funerária – no final ele mesmo será consumido. Então haverá a Autorrealização.

11. Quais são os meios para se aderir constantemente ao pensamento "quem sou eu"?

Quando surgirem outros pensamentos, você não deveria segui-los, mas investigar: "para quem estes pensamentos surgem?" Não importa quantos pensamentos surjam. Na medida em que cada pensamento surgir, você deve investigar diligentemente "para quem este pensamento surgiu?". A resposta que virá será "para mim". Então, se você investigar "quem sou eu?", a mente retornará à sua Fonte, e o pensamento que surgiu se aquietará. À medida que você praticar dessa forma mais e mais, o poder de a mente permanecer em sua fonte aumentará.

Quando a mente, que é sutil, exterioriza-se através do cérebro e dos órgãos sensoriais, os nomes e as formas densas aparecem; quando ela permanece no Coração, os nomes e as formas desaparecem. Não permitir que a mente se exteriorize, mas mantê-la no Coração, chama-se "introversão" (*antarmukha*). Permitir que a mente saia do Coração é conhecido como "extroversão" (*bahirmukha*). Assim, quando a mente permanece no Coração, o "eu", que é a fonte de todos os pensamentos, desaparecerá, e o Ser – que existe eternamente – resplandecerá.

O que quer que você faça deve ser feito sem o sentimento de "eu". Se agir assim, tudo será visto como sendo da natureza de Deus (*Shiva*).

12. Não existem outros meios para silenciar a mente?

Não existem outros meios adequados além da autoinvestigação. Através dos outros métodos, a mente apenas parecerá ter se aquietado, mas ela surgirá novamente. Através do controle da respiração, a mente também se aquietará, mas ficará quieta tão somente enquanto a respiração permanecer controlada, e quando o movimento da respiração for retomado a mente igualmente voltará a se mover e perambular impelida pelas suas impressões residuais.

A fonte da respiração e da mente é a mesma. O pensamento é a natureza da mente. O pensamento de "eu" é o primeiro pensamento da mente; isto é o ego. A respiração e o ego se originam a partir da mesma Fonte. Portanto, quando a mente se aquieta, a respiração é controlada, e quando a respiração é controlada a mente se aquieta. Durante o sono, entretanto, as forças vitais continuam a trabalhar, apesar de a mente não estar manifesta. Isso é assim de acordo com a lei divina, a fim de proteger o corpo e afastar quaisquer dúvidas quanto a ele estar vivo ou morto durante o sono. Quando a mente se aquieta durante o estado de vigília e no *samādhi*, a respiração também se aquieta. A respiração é a forma densa da mente. Até o momento da morte, a mente mantém a respiração no corpo; quando o corpo morre, a mente leva a respiração consigo. Assim, o exercício do controle da respiração é apenas uma ajuda para acalmar a mente (*manonigraha*), mas ele não a destruirá (*manonasa*).

Tal como a prática do controle da respiração, a meditação nas formas de Deus, repetição de mantras, regulação da dieta, etc., são apenas auxílios para silenciar a mente.

Através da meditação nas formas de Deus e repetição de mantras a mente se torna unifocada. A mente sempre estará vagueando. Da mesma forma que um elefante, quando lhe é dada uma corrente para ele segurar com a tromba, vai ficar agarrado na corrente sem largar; igualmente, quando a mente está ocupada com um nome ou forma ela permanecerá apenas nisso. Quando a mente se dissipa na forma de inumeráveis pensamentos, cada pensamento é fraco; quando os pensamentos são dissolvidos, a mente se torna unifocada e forte – para uma mente assim, a autoinquirição será fácil.

De todas as regras de disciplina, aquelas relacionadas com manter uma alimentação *sáttvika* em quantidades moderadas é a melhor; observando esta regra, a qualidade *sáttvika* da mente crescerá, e isso será de muita valia na autoinquirição.

13. As impressões residuais dos fenômenos (*vāsanās*) parecem ser intermináveis, tal como as ondas de um oceano. Quando é que elas serão destruídas?

Na medida em que a meditação no Ser se aprofundar, os pensamentos cessarão.

14. É possível que as impressões residuais dos fenômenos (*vāsanās*), que existem desde tempos imemoriais, sejam dissolvidas, e que assim se permaneça enquanto puro Ser?

Sem se entregar à dúvida, se isso é possível ou não, você deveria persistentemente se voltar para a meditação no Ser. Por mais pecadora que uma pessoa possa ser, se ela parar de se lamentar "Ai de mim que sou um pecador! Como posso eu alcançar a libertação?" e, abandonando até mesmo o pensamento de que é pecadora, dedicar-se zelosamente à autoinquirição, ela com certeza realizará o Ser (*Ātman*).

Não existem duas mentes, uma boa e outra má – a mente é apenas uma. As impressões residuais é que são de dois tipos –

auspiciosas e não auspiciosas. Quando a mente está sob a influência de impressões auspiciosas, é chamada de boa; quando sob a influência de impressões não auspiciosas, é vista como má.

À mente não deveria ser permitido vaguear rumo a atividades mundanas nem àquilo que diz respeito a outrem. Por pior que os outros sejam, não se deve guardar nenhum ódio em relação a eles. Tanto o desejo quanto a aversão devem ser evitados. Tudo o que se dá aos outros dá-se a si mesmo. Se esta verdade for compreendida, quem não dará aos outros? Quando o eu surge, tudo surge; quando o eu se aquieta, tudo se aquieta. Quanto mais humildes formos, maior bem resultará. Se a mente for silenciada, pode-se viver em qualquer lugar.

15. A investigação deve ser praticada por quanto tempo?

Enquanto houver impressões dos fenômenos na mente, a investigação "quem sou eu?" será necessária. Os pensamentos devem ser destruídos[33] no mesmo momento e local em que surgem, através da investigação. Basta que se faça uso da contemplação do Ser incessantemente, até que o Ser seja alcançado. Enquanto houver inimigos dentro da fortaleza os ataques continuarão; se os mesmos são eliminados no momento em que

---

[33] Embora neste e em outros trechos dos ensinamentos do Maharashi verifique-se a utilização de termos como "destruir", "apagar" ou até mesmo "matar" em relação aos pensamentos ou à mente, uma leitura ampla e aprofundada dos seus ensinamentos revela que Sri Ramana sempre ensinou que a mente em si é ilusória ou inexistente. Não se pode, assim, destruir algo que não existe – ou que existe apenas enquanto imaginação. Sabendo disso, talvez fosse melhor ler trechos como este como "devem ser interrompidos", "transcendidos" ou "extintos". [N.T.]

surgem, a fortaleza será conquistada.

16. Qual é a natureza do Eu Real?

Na verdade existe apenas o Eu Real. O mundo, a alma individual e Deus são aparências n'Ele, como a prata que aparece na madrepérola. Esses três aparecem e desaparecem ao mesmo tempo. O Eu Real é aquilo no qual não existe pensamento de "eu" em absoluto. Aquilo chama-se "silêncio" (*mouna*). O Eu Real mesmo é o mundo; o Eu Real mesmo é o ego; o Eu Real mesmo é Deus – tudo é *Shiva*, o Ser.

17. Não é tudo obra de Deus?

Sem desejo, intenção ou esforço, o sol nasce; e, em sua mera presença, a pedra do sol emite fogo, a flor de lótus floresce, a água evapora e as pessoas vivem suas vidas e descansam. Assim como na presença do ímã a agulha se move, as almas (*jīvas*), submetidas à atividade tríplice da criação, preservação e destruição – que ocorre pela mera presença do Poder Maior – agem de acordo com os seus *karmas*, retornando ao descanso depois de suas atividades. Mas Deus em Si mesmo não possui nenhuma intenção; nenhuma ação o toca. É como as atividades do mundo não afetando o sol, ou como os méritos e deméritos dos outros quatro elementos não afetando o espaço que a tudo permeia.

18. Qual é o maior dentre os devotos?

Aquele que se entrega ao Ser, que é Deus, é o mais excelente dos devotos. Entregar-se a Deus significa permanecer constantemente no Ser sem permitir que qualquer pensamento surja que não o pensamento do Ser[34].

Deus suporta quaisquer fardos que lhe são deixados. Já que é o Poder Supremo de Deus que faz todas as coisas se moverem, por que deveríamos nós, em vez de nos submetermos a Ele, nos preocuparmos constantemente com pensamentos a respeito do que deve ser feito e como, e do que não deve ser feito? Sabemos que o trem carrega todas as cargas; então, depois de adentrá-lo, por que deveríamos – para nosso próprio desconforto – carregar a bagagem na nossa cabeça, ao invés de colocá-la no bagageiro e viajar confortavelmente?

19. O que é desapego?

Destruir completamente os pensamentos no momento e local em que surgirem, sem deixar qualquer resíduo – isto é desapego. Da mesma forma que aquele que busca uma pérola no fundo do mar amarra uma pedra ao redor de sua cintura, mergulha até o fundo e toma a pérola, igualmente cada um de nós deveria, dota-

---

[34] Ou melhor, "autoatenção", que é dirigir a atenção ao sentimento de simplesmente ser ("eu sou"), conforme aponta Sadhu Om em seu comentário ao texto original. [N.T.].

do de desapego, mergulhar dentro de si e obter a pérola do Ser.

20. Não é possível a Deus e ao Guru efetivar a liberação de uma alma?

Deus e o Guru apenas mostrarão o caminho rumo à liberação; eles não vão por si mesmos levar a alma ao estado de liberação. Na verdade, Deus e o Guru não são diferentes. Assim como a presa que caiu na boca do tigre não tem escapatória, também aqueles que caem no campo do olhar gracioso do Guru serão salvos e não se perderão; mesmo assim, cada um deve por seus próprios esforços seguir no caminho mostrado por Deus ou pelo Guru, e obter a liberação. Você só pode conhecer a si mesmo pelo seu próprio olho de sabedoria, não pelo olho de mais ninguém. Por acaso Rama precisa da ajuda de um espelho para saber que é Rama?

21. É necessário para aquele que deseja ardentemente a liberação investigar a natureza das categorias (*tattvas*)?

Da mesma forma como alguém que vai jogar fora o lixo não necessita analisá-lo para ver o que é, também alguém que deseje conhecer o Eu Real não necessita analisar o número de categorias ou investigar suas características; o que ele precisa fazer é rejeitar completamente todas as categorias [fenômenos] que ocultam o Eu Real. O mundo deve ser considerado um sonho.

22. Não há diferença entre o estado de vigília e o de sonho?

O estado de vigília é longo e o de sonho é curto – fora isso, não há diferença. Assim como os acontecimentos do estado de vigília parecem reais enquanto se está acordado, o que acontece no sonho também parece real enquanto se está sonhando. No sonho a mente toma outro corpo. Tanto no estado de vigília quanto no de sono, pensamentos, nomes e formas ocorrem simultaneamente.

23. Para aqueles que desejam a liberação, é útil ler livros?

Todos os textos asseveram que para se obter a iluminação a mente deve ser aquietada; portanto, seu ensinamento conclusivo é que a mente deve ser silenciada. Uma vez que se tenha entendido isso, a leitura infindável não é necessária. A fim de silenciar a mente você deve apenas investigar dentro de si mesmo o que é o seu Eu; como poderia tal busca ser feita nos livros? Você deve ver o seu Eu com o seu próprio olho de sabedoria. O Eu Real está dentro dos cinco invólucros, mas os livros estão fora deles. Uma vez que o Eu Real deve ser investigado pela rejeição dos cinco invólucros, é fútil buscar por ele nos livros. Chegará um momento em que você deverá esquecer tudo o que aprendeu.

24. O que é a felicidade?

Felicidade é a própria natureza do Ser; a felicidade e o Ser não são diferentes. Não há felicidade em nenhum objeto do mundo. Nós imaginamos, devido a nossa ignorância, que obtemos felicidade dos objetos. Quando a mente se exterioriza, experimenta sofrimento. Na verdade, quando os desejos da mente são satisfeitos, ela retorna à sua morada e desfruta da felicidade que é o Ser. Similarmente, nos estados de sono, *samādhi* e desmaio, e quando o objeto desejado é obtido – ou o objeto indesejável é removido – a mente se internaliza e desfruta a pura Felicidade do Ser. Assim, a mente se move inquieta, alternadamente se afastando do Ser e retornando a ele.

Sob a árvore a sombra é agradável; lá fora o calor é escaldante. Uma pessoa que caminha sob o sol sente-se aliviada quando chega na sombra. Alguém que vive indo do sol para a sombra e da sombra de volta ao sol é um tolo – o sábio permanece sempre na sombra. Igualmente, a mente daquele que conhece a Verdade não deixa *Brahman*. Ao contrário, a mente do ignorante perambula pelo mundo sentindo-se miserável, e de vez em quando retorna a *Brahman* para experimentar a felicidade. Na verdade, o que é chamado "mundo" é apenas pensamento. Quando o mundo desaparece, isto é, quando não há pensamento, a mente experimenta a felicidade; quando o mundo aparece, ela experimenta o sofrimento.

25. O que é a visão da Sabedoria (*jñāna drishti*)?

Permanecer em silêncio é chamado visão da Sabedoria. Permanecer em silêncio é dissolver a mente no Ser. Telepatia, conhecer os acontecimentos do passado, presente e futuro, e clarividência não constituem a visão da Sabedoria.

26. Qual é a relação entre a sabedoria e o estar sem desejos?

Estar sem desejos é sabedoria. Os dois não são diferentes. Estar sem desejos é evitar que a mente se volte para qualquer objeto. Sabedoria é o não surgimento dos fenômenos. Em outras palavras, não buscar aquilo que não é o Ser é desapego ou "estar sem desejos"; não deixar o Ser é sabedoria.

27. Qual é a diferença entre a inquirição e a meditação?

A inquirição consiste em reter a mente no Eu Real. A meditação consiste em pensar que eu sou *Brahman*, Existência-Consciência-Beatitude.

28. O que é liberação?

Investigar a natureza do "eu" que está aprisionado, e assim realizar a sua verdadeira essência, é liberação.

GLOSSÁRIO

No presente glossário o leitor encontrará uma maior elaboração acerca dos termos hindus utilizados ao longo do texto. As palavras que aqui se encontram em itálico estão definidas logo ao lado, entre parênteses, ou então aparecem em outra entrada no glossário.

Advaita – "Não dualidade, às vezes erroneamente traduzido como "Monismo". Uma escola do *Vedānta* – que é uma das seis escolas filosóficas hindus, baseadas nos *Vedas* – o *Advaita Vedanta* é a tradição metafísica do não dualismo, baseada nos *Upanishads*.

Āgāmya karma – Ver nota de rodapé da página 60.

Aham, ayam – "Eu"; o eu corporificado; alma (*jīva*).

Ahamkāra – Literalmente "forma do eu", ou ego.

Aham-vritti – Pensamento de "eu".

Ajata-vāda – (Teoria da não causualidade). É uma antiga teoria hindu que postula que a criação nunca ocorreu. Segundo essa teoria, tempo, espaço, causa e efeito, fenômenos e criação são apenas ilusões que existem nas mentes dos homens não iluminados (*ajñānīs*). É a teoria mais elevada, e só pode ser compreendida e aceita por aspirantes completamente maduros. Ver *drishti-srishti-vāda* e *srishti-drishti-vāda*.

Ajñāna – Ignorância. O prefixo "a" denota uma negativa, de modo que o significado literal da palavra é falta de conhecimento (*Jñāna*).

Ajñānī – Aquele que não realizou o Ser; ignorante.

Alimentação sáttvika – Regulação da dieta de forma a não ingerir carnes, peixes, bebidas alcoólicas ou comidas apimentadas. Alimentação vegetariana baseada em frutas, cereais, vegetais, laticínios, pão e grãos. Veja *sattva*.

Ānanda – Bem-Aventurança, Beatitude, Felicidade suprema.

Annas – Durante o domínio britânico na Índia, e também na primeira década de independência, a moeda indiana (rúpia) era dividida em 16 *annas*, sendo cada *anna* subdividida em 4 *países*.

Antarmukha – Introversão. É a mente/atenção voltada ao sentimento "eu sou".

Anugraha – Graça.

Aquilo – Tradução do sânscrito *tat*; significa o Absoluto, infinito e sem atributos.

Ardradarsanam – Ou *Arudhra Darshan*, é um festival tâmil que ocorre entre os meses de dezembro e janeiro celebrando a dança cósmica de *Shiva*.

Arunachala – A montanha sagrada no sul da Índia onde Sri Ramana passou toda sua vida adulta. Em certa ocasião Bhagavan disse que Arunachala tinha sido seu Guru. É tomada como sendo uma manifestação física de *Shiva*.

Arunachaleswara – Nome do templo principal da cidade de Tiruvannamalai, provavelmente construído no século IX d.C. Também é conhecido como "Templo de *Shiva*" ou "Annamalaiyar Temple".

Ashram – "Estabelecimento" ou "colônia", comum na Índia, que se desenvolve em torno de um Sábio ou Guru. Muitas vezes mal traduzido como "mosteiro". Em tâmil escreve-se *asramam*.

Ashtanga Yoga – Sistema de *Yoga* codificado por Patañjali no seus *Yoga-sutras*, datado de 200 a.c., consistindo em oito níveis de disciplina ou meios (*sādhanas*) para se atingir a união (*yoga*) com o Divino.

Ashtavakra – O Guru do rei *Janaka*. O texto *Ashtavraka Gita* (cerca de 500 A.C) é um clássico do Advaita, contendo o diálogo entre o rei *Janaka* e o Sábio Ashtavraka.

Ātman, Ātman – Eu Real, idêntico a *Brahman*. Também traduzido como "Si-mesmo", "Ser" ou apenas "Eu".

Ātmā-vichāra – Autoinquirição.

Avichāra – Falta de investigação/inquirição.

Avidyā – Ignorância; sinônimo de *ajñāna*.

Bahirmukha – Extroversão. É a mente voltada a quaisquer

objetos ou fenômenos que surjam no campo da consciência (quer sejam acontecimentos exteriores ou fenômenos mentais como pensamentos, emoções, etc.).

Bhagavad-Gītā – Literalmente, "Canção Celestial" (cerca de 400 a.C). Porção do épico hindu Mahabarata que contém um diálogo entre o Avatar *Krishna* e o guerreiro Arjuna, seu discípulo, sendo um dos pilares da filosofia hindu. Obra do século II a.c., composta de 700 versos espirituais divididos em dezoito capítulos.

Bhagavan – A palavra comumente usada para significar Deus. Na conversação normal diz-se "*Bhagavan*" (Deus) ou "*Swāmī*" (o Senhor). Esse termo "*Bhagavan*" é usado para dirigir-se àqueles poucos Sábios supremos que são reconhecidos como inteiramente Unos com Deus.

Bhāgavata – Também chamado de *Bhagavatam* ou *Bhāgavata Purāna*: uma obra que narra parte da vida e dos ensinamentos de *Krishna*, atribuída à Vyasa.

Bhakta – Devoto; Santo; aquele que segue o caminho de *bhakti*.

Bhakti – Devoção, Amor. A atitude religiosa ideal de acordo com o Hinduísmo teísta.

Bhakti Mārga – O caminho (*mārga*) de aproximação de Deus através da adoração e devoção a Ele.

Brahma-Jñāna – Conhecimento ou Realização de *Brahman* (o Absoluto).

Brahma – O Deus criador da trindade hindu. O primeiro

movimento de manifestação e o primeiro a ser criado. Veja *Shiva*.

Brahman – O Absoluto impessoal do Hinduísmo; o Ser Supremo, imutável, incognoscível e sem atributos. Não confundir com *Brahma*, que é a primeira divindade da Trindade hindu, a quem coube a criação do mundo.

Brihadaranyaka Upanishad – Escrito no século VIII antes de Cristo, contém a mais antiga e clara apresentação da doutrina do renascimento e libertação.

Chakra – "Roda". São vórtices de energia localizados ao longo do tronco e na cabeça.

Chit – Consciência. Um dos três aspectos de *Ātman*, sendo os outros dois a Existência (*sat*) e a Beatitude (*ānanda*).

Chit-jada-Granthi – O nó que prende a Consciência ao corpo inerte ou matéria.

Corpo Sutil – Segundo a filosofia hindu o termo "corpo" compreende cinco revestimentos (*kosas*), que velam e limitam a "Realidade" ou o "Ser". Fala-se dos cinco revestimentos correspondendo a três corpos, que, conjuntamente, recebem o nome de "corpo". São eles: (a) o corpo físico ou que corresponde ao invólucro *annamayakosa*, o corpo denso; (b) o corpo sutil ou mental, composto pelos invólucros *pranamayakosa* (cuja função é manter a vida através da respiração e de forças vitais sutis), *manomayakosa* (composto de *manas* ou "mente", responsável pelas sensações e pensamentos), e *vijnanamayakosa* (o intelecto ou consciência discriminativa); e (c) o corpo causal, que corresponde ao invólucro *anandamayakosa* ("corpo da beatitude"). Os três corpos relacionam-se também aos três estados da mente: o corpo físico ao estado de vigília; o corpo sutil ao estado de sonhos; e o corpo causal que se relaciona ao estado de sono profundo (não sendo nada além de um estado de ignorância ou inconsciência no qual o ego e a mente subsistem apenas de forma latente).

Dakshinamurti – é um dos aspectos de *Shiva*, manifestado como um jovem *yogi* que ensinava por meio do silêncio.

Darshan – Literalmente, "vista". É a graça que é recebida através do olhar e da presença silenciosa do Sábio.

Dharma – (I) tradição religiosa, ensinamentos; (II) lei divina; (III) dever moral, virtude; (IV) princípio eterno da ação correta.

Dhātus – "Componente". Os sete *dhatus* são: pele, sangue, carne, tendão, osso, medula (ou "gordura", de acordo com a escola) e sêmen.

Dhyāna – Meditação. O sétimo estágio do *Ashtanga Yoga* (sistema de *Yoga* Clássico, por Patañjali).

Dikshā – Iniciação. Tradicionalmente, pode ser dada pela palavra, pelo toque ou pelo olhar. Diz-se que o Maharshi dava *dikshā* através do silêncio.

Drishti-srishti vāda – Teoria da "criação simultânea", ensina que o mundo que aparece ao *ajñānī* é produto da mente que o percebe, e que na ausência desta o mundo cessa de existir. Ver *srishti-drishti-vāda* e *ajata-vāda*.

Gautama – O Buda histórico (Siddharta Gautama), que viveu no século VI a.C.

Gāyatrī – O *mantra* védico mais famoso, extraído do *Rig Veda*.

Grishastha – Denota uma das quatro "fases da vida", segundo os *Vedas*. Trata-se da fase da vida em que a pessoa já teve sua formação pessoal e encontra-se "vivendo no mundo", trabalhando e envolvido com a vida familiar.

Gokulastami – É um festival dedicado ao Senhor *Krishna* e que comemora seu nascimento.

Gunas – As três qualidades básicas de toda manifestação: *rajas* (atividade, movimento), *tamas* (inércia, escuridão), e *sattva* (equilíbrio, harmonia).

Guru – Literalmente, "aquele que remove a escuridão"; um professor ou tutor espiritual; da forma usada por Sri Ramana, em maiúscula, significa o *jñānī* ou ser iluminado que funciona como Mestre.

Hatha Yoga – Caminho do *Yoga* codificado por Swatmarama, autor do "Hatha-Yoga Pradipika". É o caminho do esforço e da disciplina rigorosa, que dá ênfase à obtenção de uma saúde perfeita por meio da prática de *āsanās*. Considera-se como sendo complementar ao "Raja-Yoga" de Patañjali.

Hiranyagarbha – Consciência universal; a totalidade "das mentes".

Hrdayam – O Coração.

Īshwara – Deus Pessoal, Criador. Possui como três aspectos a função de Criador (*Brahma*), Mantenedor (*Vishnu*) e Destruidor (*Shiva*). É o primeiro movimento do Absoluto na manifestação.

Janaka – Ver *Ashtavakra*.

Japa – A prática da repetição, geralmente após uma iniciação, de certas palavras ou *mantras*, ou nome de Deus.

Jīva – A alma, ou eu individual.

Jivātmān – Utilizado como sinônimo de *jīva*.

Jñāna – Sabedoria ou Conhecimento absoluto.

Jñāna drishti – Visão da Sabedoria. A visão ou compreensão última.

Jñānī – Literalmente, "aquele que sabe". O ser iluminado, liberto.

Kaivalya Navaneeta – Um famoso clássico do Vedanta frequentemente citado pelo Maharshi.

Kali – Também conhecida como Devi, a esposa de *Shiva*. É a forma criativa primordial por detrás da manifestação e aquela que dá a graça que destrói o ego dos devotos.

Karam – "Tornar", "fazer".

Karma – Literalmente significa "ação", mas é também frequentemente utilizado com o significado de "consequências das ações" e "destino". O *karma* é um elemento comum em todas as religiões orientais. É uma teoria que declara que cada indivíduo deve experimentar os frutos de suas ações (*karmas*); boas ações trazem bons resultados e más ações trazem o sofrimento como consequência. Ainda, o *karma* é dividido em três espécies: *sañchita karma* (o depósito de todo o *karma* passado); *prārabdha karma* (muitas vezes traduzido como "destino", é a parte do *sañchita karma* que será trabalhada na presente vida), e *agami karma* (o novo *karma* acumulado na presente vida e que dará frutos em vidas futuras).

Karma Yoga – "Caminho da Ação". É a via espiritual do cumprimento desinteressado dos deveres, que prescreve agir sempre sem a noção de um "eu", e sem desejar para si os frutos das ações. Também chamado *Karma-Mārga*.

Kashāya – Impureza latente.

Krishna – Um Avatar (encarnação divina) de *Vishnu*, o aspecto mantenedor da Trindade Divina. Seu diálogo com o arqueiro Arjuna aparece no clássico *Bhagavad-Gītā*.

Kumbhaka – Retenção da respiração na prática de *prānāyāma*.

Kumkum – Nome dado a um pó vermelho obtido da raiz de cúrcuma (ou açafrão-da-Índia) que é utilizado em cerimônias e rituais hindus.

Kundalinī – I) Princípio *yóguico* de poder, representado por uma serpente que permanece adormecida no primeiro *chakra*, chamado *muladhara* (localizado na base da coluna vertebral). A subida da *Kundalinī* até o *chakra* mais elevado, o *sahasrāra* (localizado no topo da cabeça), é o objetivo central do Tantrismo e do *Hatha Yoga*. (II) A Ilusão Primordial.

Maharani – Título dado à esposa de um *Maharaja* ("grande rei"), equivalente à "rainha".

Maharshi – "Grande Sábio", sendo um título dado àqueles Mestres que inauguram um novo caminho espiritual para a humanidade. Pronuncia-se "maharixi", com o "h" aspirado.

Mahātma – "Grande Alma", título dado a um Santo Realizado.

Manana – O segundo estágio no caminho Advaita ortodoxo no qual o discípulo reflete sobre as palavras do Guru, em especial sobre a verdade "Eu sou *Brahman*".

Māndūkya Upanishad Karika – Comentário ao *Mandukya Upanishad*, escrito pelo Rishi *Gaudapada*. Nesta obra o Rishi expõe a doutrina advaita do *ajata-vāda*, segundo a qual nada jamais aconteceu e nada jamais foi criado.

Manikkavacaka – Um famoso santo da seita hindu *shaiva* (adoradores de *Shiva*). Viveu no século IX d.C. no sul da Índia e foi autor do *Tiruvacakam*.

Manonasa – Destruição da mente.

Manonigraha – Controle da mente. Em oposição à destruição da mente (*manonasa*), a mente é mantida quieta por esforço, mas as sementes que a fazem exteriorizar-se (*vāsanās*) continuam presentes.

Mantra – Sons sagrados dados ao discípulo pelo Guru, geralmente usado para recitações ou encantamentos.

Māyā – Ilusão; aquilo que faz parecer real o irreal. Literalmente, "aquilo que não é". No aspecto cosmológico, é o poder ou aspecto criativo de *Brahman*, que faz manifestar todo o universo.

Moksha – Libertação; estado de emancipação final, livre do renascimento.

Mouna – Silêncio interior, transcendental.

Mukti – Libertação (sinônimo de *moksha*).

Nādi – "Conduto, canal". São os canais psíquicos nos quais a força vital circula no corpo humano, havendo um total de 72.000. Os três principais são *sushumnā*, *ida* e *pingala*.

Nam Dev – Um famoso santo indiano (1270-1350) que viajou extensivamente exultando as virtudes da repetição do Nome de Deus.

Nataraja – O nome dado a *Shiva* na sua forma dançante, simbolizando a dança cósmica da criação, manutenção e destruição.

Nididhyāsanā – O terceiro estágio no caminho Advaita ortodoxo no qual o discípulo medita profundamente sobre a Verdade, em especial sobre "Eu sou *Brahman*".

Nirvikalpa Samādhi – O estado mais alto de concentração meditativa, no qual a alma perde todo contato com o mundo sensorial e toda a noção de existir separado do Eu Real, estando em união não dual com *Brahman*. Entretanto, algumas *vāsanās* (tendências mentais latentes) permanecem, de forma que o praticante retorna à consciência do ego.

Pañchadasī – Uma exposição clássica do Advaita Vedanta, escrita no século XIV por Vidyaranya.

Pandharpur – Famoso centro de peregrinação localizado no centro-oeste da Índia.

Paramātman – Eu Supremo, *Brahman* Universal. Sinônimo de *Parabrahman*.

Parivrajaka – "Asceta errante", que renunciou ao mundo e às relações sociais e vive uma vida sem morada.

Patañjali – Sábio que viveu aproximadamente no século II d.C. e sistematizou o "Raja Yoga" em seus "Yoga Sutras".

Prāna – Literalmente: "respiração". É a força vital individual e universal, em grande parte correspondente ao conceito de *chi* da filosofia chinesa. Também é usado nos sentidos de "ar vital" e "energia", podendo ser disciplinada e manipulada mediante exercícios de *yoga* e meditação.

Prānāyāma – "Controle da respiração"; exercícios respiratórios do *yoga* que têm por objetivo regular a respiração ou retê-la por completo, assim levando a mente ao *samādhi*. É o quarto estágio do *Ashtanga Yoga*.

Prārabdha karma – A parte do *karma* passado cujo efeito será experimentado nesta vida. Às vezes é traduzido como "destino". Ver nota de rodapé da página...

Pratyaksha – "percepção direta, imediata".

Pūraka – Inalação, na prática do *prānāyāma*.

Purānas – "História antiga". Conjunto de dezoito livros sagrados hindus atribuídos ao Sábio Vyasa, lidando com a criação primária e secundária, teologia, e especialmente as histórias dos reis e sábios, bem como mitos sobre os deuses hindus.

Rājas – "Atividade" ou "agitação", uma das três qualidades primárias (*gunas*); sua cor é o vermelho. Veja *tamas*, *sattva*, *gunas*.

Rāma – O sétimo Avatar (encarnação) de *Vishnu* (ver *Ishwara*). É o herói epônimo do maior épico indiano, o *Ramayana*.

Rechaka – Exalação, na prática do *prānāyāma*.

Rishi Gaudapada – O maior nome Advaita antes de Shankara, viveu provavelmente no século VI a.C. Escreveu o *Mundakya Karika*.

Sādhana – Prática espiritual; técnica de esforço espiritual; caminho rumo à Iluminação.

Sādhu – Tradicionalmente esse termo significa aquele que renunciou ao mundo em busca da Realização espiritual. Às vezes é utilizado no termo mais amplo, significando "buscador espiritual" ou "pessoa nobre". No entanto, frequentemente Ramana Maharshi usava esse termo como um título àquele que realizou o Ser, ou seja, que alcançou o objetivo da *sādhana*.

Sādhu Om – Sri Sādhu Om (1922-1985) encontrou Sri Ramana Maharshi em 1946 e viveu na presença do mestre até o falecimento deste, em 1950. Dentre outros comentários, escreveu "The Path of Sri Ramana", que consiste em uma excelente sistematização e comentário dos ensinamentos do Bhagavan.

Sahaja – O estado natural, inato.

Sahaja samādhi – É o estado do *Jnānī*, que eliminou permanentemente o ego e a ilusão mas, ao mesmo tempo, é capaz de funcionar normalmente no mundo, não sendo propriamente um estado de transe.

Sakshat – Imediato, direto.

Sakshatkara(m) – Realização do *Ātman* (Ser).

Samādhana – Sinônimo de *samādhi*.

Samādhi – Sri Ramana utiliza esse termo para se referir ao estado de experiência direta ou absorção no Eu Real. Normalmente, contudo, refere-se a um estado ou transe de superconsciência, normalmente beatífico, no qual a consciência humana é transcendida.

Samsāra – A cadeia de nascimento, morte e renascimento a que toda alma (*jīva*, ou ego) está sujeita, e que só termina com a Realização. Usado muitas vezes com o sentido de sofrimento, miséria, infelicidade; noutras, como sinônimo do mundo empírico de nomes e formas.

Samskāra – Tendência mental latente, formada por ações e hábitos mentais passados.

Sañchita karma – Ver *karma*.

Sannyāsin – Aquele que renunciou ao lar, à propriedade, à casta e a todos os interesses humanos e prazeres em favor da busca espiritual. Para o *sannyasin* a renúncia é definitiva, ao passo que o *sādhu* tem a liberdade de poder voltar à família.

Um *sannyasin* usa o manto ocre como símbolo de sua renúncia, enquanto que o *sādhu* usa um *dothi* branco.

Sāstrī, Shāstrī – Aquele que é versado nas escrituras.

Sat – "Ser", "Existência" ou "Realidade".

Satchidānanda – "Ser-Consciência-Beatitude", os três aspectos do Eu Real, ou Ser.

Satsang – "Associação com o Real" ou "comunhão com a Verdade"; prática espiritual de frequentar a boa companhia dos santos, sábios e Iluminados; diálogos que apontam para a Verdade.

Sáttviko(a) – Relativo à *sattva* (pureza, harmonia, claridade), uma das três qualidades primárias (*gunas*); sua cor é o branco. Ver alimentação *sáttvika*.

Self – O termo adotado na língua inglesa, em letra maiúscula, para traduzir *Ātman*.

Shakti – "Poder". É a Energia, Atividade ou Força de algum Aspecto Divino. Na mitologia hindu um Aspecto ou Princípio Divino é representado como um Deus e sua Energia ou Atividade é representada como sua esposa.

Shankara, Śankara – Também conhecido como Shankaracharya (778-820 d.C.), foi um grande *Jnānī*, tendo escrito diversos tratados e sistematizado o Advaita Vedanta. Shankara fez o Hinduísmo ortodoxo reviver na Índia, em uma época em que o Budismo Mahayana dominava, em especial a Escola Madhyamika de Nagarjuna.

Shiva, ou Śiva – Terceira divindade da Trindade hindu, representa o princípio da Destruição, Morte e Renovação. Os outros dois princípios são representados por *Brahma* (o Criador) e *Vishnu* (o Mantenedor). Ramana Maharshi geralmente usa essa palavra como sinônimo de Eu Real, ou Absoluto (*Brahman*). Pronuncia-se "xiva".

Siddha – (I) Aquele que desenvolveu poderes sobrenaturais; (II) ser perfeito.

Siddhis – (I) Poder sobrenatural; (II) perfeição espiritual. Literalmente, "conquista".

Sravana – O primeiro estágio no caminho Advaita ortodoxo no qual o discípulo ouve a Verdade através das palavras do Guru ou do estudo das escrituras, em especial "*Eu sou Brahman*".

Sri Ramakrishna – Um grande santo de Bengali (1836-1886), que teve uma forte influência no Hinduísmo moderno.

Srishti-drishti vāda – Teoria da criação gradual. É a visão comum que toma o mundo como uma realidade objetiva e governada por leis de causa e efeito, que podem ser remetidas de volta a um ato único de criação.

Subrahmanya – Também chamado de Murugan (em tâmil e malayalam), é uma deidade popular no Hinduísmo, principalmente no sul da Índia. É o deus da guerra e o patrono do Estado de Tâmil Nadu.

Sūkshma sārīra – Ver: corpo sutil.

Summa iru – Expressão tida por muitos como a essência dos ensinamentos do Ramana Maharshi, pode ser traduzida como "apenas seja", ou "permaneça em silêncio", ou ainda "permaneça imóvel".

Sundaramurti – Viveu no século VIII d.C., sendo um dos poetas *tâmeis* mais famosos, escrevendo versos devocionais a *Shiva*.

Sushumnā – Um canal psíquico (*nadi*) situado na espinha.

Swāmī Ram Tirtha – Famoso santo norte indiano (1873-1096) que muito escreveu acerca do Advaita. Em 1902 (*circa*) viajou para os Estados Unidos e encontrou-se com o Presidente Theodore Roosevelt.

Swāmī – A princípio designa alguém que alcançou a Realização. Entretanto, muitas vezes é utilizado como prefixo antes do nome de mestres (quer sejam iluminados ou não) ou como termo de respeito para monges mais antigos.

Tamas – "Obscuridade, inércia", uma das três qualidades primárias (*gunas*); sua cor é o preto. Veja *rajas*, *sattva*, *gunas*.

Tâmil – Língua de origem dravidiana falada principalmente no estado de Tâmil Nadu, ao sul da Índia. Quando se usa como adjetivo refere-se a alguém que fala tâmil ou que vive no estado indiano Tâmil Nadu, ou ainda qualquer aspecto relacionado à cultura tâmil.

Tapas – Literalmente traduzido como "calor", tem o significado de ascetismo ou prática austera, sendo um elemento essencial na tradição do *Yoga*, estando presente de certa forma também na tradição do Vedanta. É uma ideia arraigada no

Hinduísmo que certa forma de disciplina ou limitação ("calor psicológico") é necessário para a transformação.

Tat – "Aquilo". Significa o Absoluto infinito e sem atributos.

Tattva – "Estado de isso". Pode significar "Realidade" ou "categoria de existência". De acordo com a escola filosófica, fala-se da existência de vinte e quatro ou trinta e seis *tattvas*, que são os elementos e princípios formadores de todos os fenômenos na manifestação.

Turīya – O "quarto estado", além dos três estados de vigília, sonho e sono profundo.

Ulladu Narpadu – Uma obra de Sri Ramana Maharshi composta de quarenta versos sobre a Realidade.

Upanishad – Literalmente significa "sentar-se perto" (para ouvir a verdade diretamente do Guru). Texto filosófico esotérico hindu que expõe a filosofia do não dualismo (Advaita Vedanta); esses textos são considerados a conclusão dos Vedas, e a última fase da revelação.

Vairāgya – Desapego.

Vāsanā – "Traço, marca"; tendência mental (semelhante a *samskara*).

Vasishta – O Sábio a quem Rama expõe suas questões espirituais no texto Advaita clássico chamado *Yoga Vasishta* (composto entre os séculos IX e XIII d.C.).

Vedānta – "Fim do Veda". Uma das seis escolas filosóficas ortodoxas do pensamento hindu. Baseada principalmente nos ensinamentos dos *Upanishads*, o *Vedānta* é a filosofia predominante no Hinduísmo, favorecendo uma interpretação não dualista (*advaita*) da existência. O Vedanta foi sistematizado no século II d.C. pelo Rishi Badarayana em seus *Brahma Sutras*.

Vedānta-Chudamani – Mais conhecido como *Viveka Chudamani*, *A Joia Suprema da Sabedoria* [Editado pela Editora Teosófica em 1992], uma obra não dualista atribuída a Sri Adi Shankara.

Vedānta Sastra – Nome dado ao coletivo de escrituras do Vedanta.

Vedas – Quatro coleções de escrituras datando de 2.000 a 500 a.C., e que são a fonte última de autoridade no Hinduísmo.

Vibhūti – Cinzas que os ascetas seguidores de *Shiva* passam no corpo indicando sua renúncia.

Vichāra – Inquirição, investigação.

Vikalpa – "Conceito, ideação". Também pode significar "fantasia" ou "imaginação".

Vikshepa – "Diversidade, distração".

Vithoba – O nome e forma de Vishnu tal como adorado na Índia nos estados de Andra Pradesh, Maharashtra e Karnataka.

Vrittis – Modificações mentais; movimentos da consciência. Às vezes traduzido como "conceitos" ou "pensamentos".

Vyaghrapada – Adepto da linhagem *Nandinātha*, que pode

ter sido discípulo de Patañjali.

Yoga – Literalmente, "União". Um dos seis sistemas ortodoxos da filosofia hindu, que parte do ponto de vista da dualidade (*dvaita*) para chegar à união com *Brahman*, o Absoluto. Muitas vezes é usado como sinônimo de "Raja Yoga" ou *Ashtanga Yoga*.

Yoga Vasishta – Ver *Vasishta*.

Yogi – (I) Praticante de *Yoga*, em especial "Raja Yoga"; (II) quem alcançou sucesso no *Yoga*; (III) aquele que alcançou a união com *Brahman*; (IV) alma avançada.

Informações sobre Teosofia e o Caminho Espiritual podem ser obtidas na Sociedade Teosófica no Brasil, no seguinte endereço: SGAS - Quadra 603, Conj. E, s/nº, CEP 70.200-630 Brasília, DF. O telefone é (61) 3226-0662.
Também podem ser feitos contatos pelo e-mail: st@sociedadeteosofica.org.br ou pelo Site: www.sociedadeteosofica.org.br.

gráfika
papel&cores

Brasília-DF
(61) 3344-3101
papelecores@gmail.com